勘破西游

典藏版

第五部

成佛迷局

叶之秋 著

中国发展出版社
CHINA DEVELOPMENT PRESS

图书在版编目（CIP）数据

勘破西游．第五部／叶之秋著．—北京：中国发展出版社，2022.1（2025.4 重印）

ISBN 978-7-5177-1266-4

Ⅰ．①勘…　Ⅱ．①叶…　Ⅲ．①《西游记》研究　Ⅳ．①I207.414

中国版本图书馆 CIP 数据核字（2021）第 230761 号

书　　　名：勘破西游（第五部）
著作责任者：叶之秋
责 任 编 辑：钟紫君　吴　思
出 版 发 行：中国发展出版社
联 系 地 址：北京经济技术开发区荣华中路 22 号亦城财富中心 1 号楼 8 层（100176）
标 准 书 号：ISBN 978-7-5177-1266-4
经　销　者：各地新华书店
印　刷　者：北京博海升彩色印刷有限公司
开　　　本：880mm×1230mm　1/32
印　　　张：8.25
字　　　数：186 千字
版　　　次：2022 年 1 月第 1 版
印　　　次：2025 年 4 月第 3 次印刷
定　　　价：29.80 元

联 系 电 话：（010）68990535　68360970
购 书 热 线：（010）68990682　68990686
网 络 订 购：http：//zgfzcbs.tmall.com
网 购 电 话：（010）68990639　88333349
本 社 网 址：http：//www.develpress.com
电 子 邮 件：174912863@qq.com

序　言

八十一难皆是局，降妖伏魔一场戏

《西游记》与《三国演义》《水浒传》故事题材不同，然其根源一致，甚至与《红楼梦》也是殊途同归。

《三国演义》讲的是王侯将相，江山霸业；《水浒传》说的是绿林豪杰，江湖风雨；《红楼梦》写的则是公子小姐，家族兴衰……

有人的世界就有江湖，有江湖的地方就难免有纷争。历史如此，武侠如此，家族如此，仙幻世界也如此。

《西游记》所写的不仅是降妖伏魔、打怪升级，其故事展现的，更是以唐僧、孙悟空师徒为代表的三界仙佛妖鬼斗智斗勇的故事。

“斗智斗勇”中，“勇”很好理解。在许多读者印象中，孙悟空就是胆大无畏的象征，金箍棒在手的孙悟空，敢与天庭叫板，敢争玉帝宝座。

那么，这“智”体现在何处?

《西游记》中的“智”，不在于孙悟空如何捉拿妖怪，不在于唐僧如何逃过劫难。因为“八十一难皆是局，降妖伏魔一场戏”，所谓取经的种种磨难，本就是仙佛高层安排好的一场戏，孙悟空也好，唐僧也好，甚至大多数下界作乱的妖魔，其实都是拿着剧本，遵照导演的意图演戏而已。

为何这么说呢？

取经路上，为何众多妖魔抓到唐僧总是不吃？孙悟空大闹天宫横扫天庭群仙，为何取经时被许多妖魔打得狼狈？为何孙悟空明明能打败妖王，却偏要去求神拜佛，找寻妖魔主人？为何每当孙悟空挥起金箍棒时，定有仙佛高喊“大圣住手”？

这些事情若仅是偶然出现一次，可以说是意外；但若经常出现，其中必然内藏玄机。

作为名著，作为一部经历数百年大浪淘沙的经典作品，最大的特点就是经得起揣摩。不但语言精湛、表意精准，而且构架宏伟、情节巧妙、人物性格复杂多变。

此前多年，研究《红楼梦》《三国演义》者多，然而，肯耐下心来揣摩《西游记》的人少。

老叶喜欢《西游记》，喜欢《封神演义》，对中国神话十分痴迷。正是怀着一份爱慕与敬仰之心，老叶一而再、再而三地品读《西游记》，争取“勘破西游”。

在老叶的解读中，孙悟空不仅心高气傲，疾恶如仇，而且胆大包天，敢与玉帝叫板，他还狡猾多智，聪明诡谲，在一波又一波的降妖故事中迅速成长。取经八十一难，不单单是唐僧经历的种种磨难，更是孙悟空从幼稚莽撞到逐渐成长，学会借力打力，学会左右逢源，变得成熟、变得强大的人生历程。

唐僧也不仅是一心向佛，他在佛心坚定之余，也会有胆怯、有懦弱，甚至有古板、有迂腐、有尖酸刻薄、有刻意偏袒。

猪八戒与孙悟空之间既有相扶相持的融洽时光，更有钩心斗角、小肚鸡肠的种种矛盾。猪八戒拥有的，不仅仅是可爱，不仅仅是蠢萌，还有既凶残暴戾又伟岸高大的一面。

沙僧也不再是那个只知道高喊“大师兄，妖怪把师父抓走了”的路人甲。《西游记》原著中的沙僧，乃是玉皇大帝身边的禁军大将，心机深沉，城府如海。若单论智谋，他足以在唐僧师徒中排名第一。

“八十一难皆是局，降妖伏魔一场戏”，西游取经故事中，到底有哪些迷局？在种种迷局中，孙悟空、唐僧、观音菩萨、如来佛祖、太上老君等，各自又扮演了怎样的角色呢？

看完本书，相信您都会找到满意的答案。

叶之秋

2021 年 10 月 25 日

目 录

第一节　孙悟空发狠

取经路上，孙悟空虽然和猪八戒经常斗嘴，但两人毕竟是同门师兄弟，和睦的时间多，翻脸的时候少。沙僧则秉承“沉默是金”“祸从口出”的原则，一年到头也说不了几句话，因此在唐僧与孙悟空、孙悟空与猪八戒的纷争中，他总能置身事外，保全自身。

可是在镇海禅林寺中，孙悟空却挥起金箍棒，恶狠狠地对两位师弟说：“打死你们，打死你们!”孙悟空可不是吓唬二人，而是“也不管好歹，捞起棍来一片打”。猪八戒吓得慌忙逃跑，沙僧则立刻下跪求饶。

孙悟空为何会如此生气？三兄弟这场纷争又是如何结束的呢？

这三兄弟内斗的场景，发生在原著第八十一回。原文说：“却说行者斗得心焦性燥，闪一个空，一棍把那妖精打落下来，乃是一只花鞋。行者晓得中了他计，连忙转身来看师父。那有个师父？只见那呆子和沙僧口里呜哩呜哪说甚么。行者怒气填胸，也不管好歹，捞起棍来一片打，连声叫道：‘打死你们，打死你们!’”*

孙悟空生气的原因有三个。

其一，唐僧被妖精（老鼠精）掳走了。

---

* 文中引用的《西游记》原文，参见人民文学出版社 1955 年第 1 版、2010 年第 3 版《西游记》。全书同。

早在去天王佛殿抓捕妖精前，孙悟空就已经在“灯光前吩咐八戒、沙僧看守师父”。

在孙悟空看来，降妖除魔这等危险任务自己已经一肩挑起，留给两位师弟的任务不过就是待在原地保护唐僧，可是他们竟然连这最基本的任务也做不好。

要是猪八戒与沙僧真是废物，没啥神通，那孙悟空也不会生气。关键是这二人都是天庭一等一的战将，不会弱于西天路上任何一位妖王。即便对阵那三五个实力最强者，比如青牛精、牛魔王、黄眉老怪，猪八戒、沙僧也能缠斗三五个时辰。

可如今，区区一个老鼠精竟然从猪八戒与沙僧二人的保护下轻松掳走唐僧，足见他们根本就是玩忽职守，出工不出力。这等坑人的队友，难道不该暴打？

其二，孙悟空中了妖精的计策。

孙悟空与老鼠精有一番大战。二人具体打斗了多少回合在书中没有明说。不过，原著说：“他（老鼠精）自恃的神通广大，便随手架起双股剑，叮叮当当的响，左遮右格，随东倒西。行者虽强些，却也捞他不倒。”

孙悟空武艺在老鼠精之上，这点毫无疑问，但是与她相比也不过是“虽强些”。换言之，老鼠精不过是略逊一筹，孙悟空要想在短时间取胜，根本不可能。

与区区一介女妖打了数十回合，这让齐天大圣孙悟空极度不甘心。这也是孙悟空与诸多妖王魔头赌斗时唯一一次出现“心焦性燥”的原因。

偏偏这老鼠精不但武艺超群，而且精通变化之术。她扔出一只绣花鞋，竟然成功骗过了孙悟空的火眼金睛。并且，在孙悟空与绣花鞋打斗的那短短时间里，老鼠精就成功掳走了唐僧。

老鼠精的成功无疑是在嘲讽猪八戒、沙僧很草包，就算是孙悟空，也被老鼠精玩弄于股掌之间。这种羞辱是孙悟空这个满心都是英雄情结的男人无法接受的。

其三，孙悟空受了老鼠精调戏。

孙悟空为了引诱老鼠精出现，自己变成了一个英俊小和尚。老鼠精确实被引诱来了，可是两人见面后一番言辞，孙悟空却被老鼠精的风流大胆完全压制住了。

老鼠精提出："趁如今星光月皎，也是有缘千里来相会，我和你到后园中交欢配鸾俦去也。"孙悟空本当严词拒绝，或者立刻挥棒降妖，可他竟然暗笑道："也罢，我跟他去，看他怎生摆布。"

孙悟空自以为可以吃定老鼠精，没想到自己已经被老鼠精迷惑。原文说："他两个搂着肩，携着手，出了佛殿，径至后边园里。那怪把行者使个绊子腿，跌倒在地，口里'心肝哥哥'的乱叫，将手就去掐他的臊根。"等到此时，孙悟空才羞红了脸，恢复真身，与老鼠精打斗了起来。

可叹保全了一千多年元阳之体的齐天大圣，竟然被老鼠精揩油，狠狠吃了一顿豆腐。

孙悟空又羞又怒，于是消极怠工的两个师弟自然成了出气筒。

面对大师兄的怒火，猪八戒直接选择逃跑，沙僧则选择了下跪。两位师弟都是聪明人，在最短的时间里都做出了对自己最为有利的应对。

猪八戒与孙悟空本就有嫌隙，孙悟空在暴怒的情况下自然听不进猪八戒的解释，因此猪八戒只有逃走才可以免打。

沙僧平常很少表态，不过总体来说，在面对大师兄与师父、二师兄的矛盾纷争中，沙僧还算是秉持公正，孙悟空对沙僧一直很看重。因此，沙僧跪下求饶是消弭孙悟空怒火，解决这场纷争的最好方法。

在听了沙僧一番言辞后，孙悟空不但原谅了两位师弟，而且怒火全消，欢喜起来。沙僧说了些啥？

沙僧说："兄长，我知道了，想你要打杀我两个，也不去救师父，径自回家去哩。"孙悟空说："我打杀你两个，我自去救他！"沙僧笑道："兄长说那里话！无我两个，真是'单丝不线，孤掌难鸣'。兄啊，这行囊、马匹，谁与看顾？宁学管鲍分金，休仿孙庞斗智。自古道：'打虎还得亲兄弟，上阵须教父子兵。望兄长且饶打，待天明和你同心戮力，寻师去也。'"

沙僧平时不说话，一说话必定妙语惊人。

且看他第一句话，不是求饶，而是故意激将——你孙悟空要打死我们，然后回花果山去了。换言之，我们是龛懒、是懈怠，你孙悟空也一样。孙悟空一听立刻反驳，说自己在打死二人后必定会去救师父。

沙僧一听，就知道孙悟空入局了，于是他才笑着表示，要想救出师父，光靠孙悟空一人绝对不成。为啥呢？孙悟空去降妖了，行李、马匹就无人看守了。即便一边救出了师父，可若这边的行李、马匹丢了，还要再去寻找。这就是单丝不成线，孤掌也难鸣！

沙僧的话很朴实，却点出了猪八戒与沙僧二人存在的必要性。

同时，他也向孙悟空表态，他们二人必定“同心戮力”，再不懈怠。

见孙悟空怒火消散，猪八戒也跑回来表态说：“哥啊，这个都在老猪身上。”

虽然师父被抓走了，但是三兄弟再度团结在了一起，孙悟空还是非常高兴。原文说：“行者喜喜欢欢的辞了众僧，着八戒、沙僧牵马挑担，径回东走。”

不过，孙悟空的欢喜并没有持续多久。在第二天的降妖过程中，不仅猪八戒，就连沙僧也一样，藏拙犯懒的毛病再度出现。明明孙悟空已经救出了唐僧，但唐僧在猪八戒、沙僧的看护下再度被妖怪掳走了。

事实上，类似的事情在取经路上频频出现。猪八戒与沙僧消极怠工已经成了一个常态。若仅仅是一次这种事件也就罢了，毕竟人人都有懈怠的时候，勤勉如唐僧、孙悟空也不能例外。但是，猪八戒、沙僧则是一而再，再而三地重复着同样的错误，这就不能不让人深思了。

究竟是什么原因让猪八戒与沙僧出工不出力，总是放纵妖怪抓走唐僧呢？

第二节　八戒怠工

我们先看看在陷空山营救唐僧过程中孙悟空三兄弟的表现。

三兄弟腾云驾雾来到陷空山，孙悟空让猪八戒前去巡山。猪八戒满脸不情愿，口中嘟囔说：“老猪晦气！先拿我顶缸！”

对于昨天孙悟空暴走，耍威风要打二人的事情，猪八戒心中明镜似的。唐僧被掳走，一方面是猪八戒、沙僧懈怠；另一方面也是孙悟空无能。那猴头一天到晚吹嘘自己“只是不动手，动手就要赢”，可偏偏连一个女子都拿不下。

降伏妖魔主要是孙悟空的职责。唐僧被掳走，孙悟空是第一责任人。猪八戒觉得自己是代孙悟空受过，于是他才会说自己晦气，说孙悟空拿他顶缸。

但是孙悟空揪住猪八戒昨天的话不放，训斥说：“你夜来说都在你身上，如何打仰？”在万般无奈下，猪八戒才整整衣衫前去寻访。

心中有了芥蒂，猪八戒做起事来明显就在敷衍。见到山中有两个妇人在提水，他走上前去，直接喝道：“妖怪！”这一声喊让两个妇人大怒。她们说：“这和尚惫懒！我们又不与他相识，平时又没有调得嘴惯，他怎么叫我们做妖怪！”

这两个妇女是妖怪吗？是。不过，按照两个妇人的话语，只有一种人能够直接称呼她们为“妖怪”，即那种与她们相识，并且彼此之间常开玩笑的熟人。

“妖怪”这个称呼，乃是人类与人族仙人对妖族修仙者的蔑称。猪八戒自己就是妖族出身，对“妖怪”一词的含义怎不清楚？如此询问，注定了一无所得。猪八戒就是要用这种方式怠工，发泄自身的不满。

孙悟空听得猪八戒回报，竟没有生气，而是对他谆谆教诲，告诉他待人接物要温存些。猪八戒再度前往，果然打听到一些详细情况。

之后，孙悟空化为苍蝇，前去无底洞中。他两番设计，最终成功钻入老鼠精肚子，迫使她背着唐僧送出洞窟。在把唐僧交付猪八戒、沙僧看管后，孙悟空返身再与老鼠精大战。

本来，按照孙悟空的安排，有猪八戒、沙僧的护卫，唐僧绝不会有失，孙悟空单挑老鼠精也注定会获胜。可是，偏偏猪八戒与沙僧自作聪明，强出头去抢功，致使唐僧再度落入妖精手中。

当时，见孙悟空与老鼠精缠斗，猪八戒说："兄弟，师兄胡缠！才子在他肚里，抡起拳来，送他一个满肚红，扒开肚皮钻出来，却不了帐？怎么又从他口里出来，却与他争战，让他这等猖狂！"

按照猪八戒的意思，孙悟空早该弄死老鼠精了，何必要在出了人家肚子再与人家大战呢？这就是猪八戒与孙悟空的不同了。孙悟空乃是顶天立地的汉子，最看重名声。与当初在狮驼岭一样，孙悟空这次钻人肚子也只是权宜之计。他真正希望的是堂堂正正与对方一战。

沙僧其实知道孙悟空的用意，口中却附和猪八戒说："正是，却也亏了师兄深洞中救出师父，返又与妖精厮战。且请师父自家坐着，我和你各持兵器，助助大哥，打倒妖精去来。"一贯沉默低调的沙僧竟然也冲动起来，想要抢夺降妖功劳。

猪八戒说："不，不，不！他有神通，我们不济。"猪八戒内心自然是觉得自己与孙悟空旗鼓相当，可是自家的任务只是看护唐僧，并非降妖伏魔。既然各有分工，各有职责，自己何必强出头呢？

沙僧却说："说那里话！都是大家有益之事，虽说不济，却也放屁添风。"一听"放屁添风"这词，猪八戒登时心中恼恨。当初孙悟空就是骂他废柴，即便有用也只是放屁添风。听沙僧也如此讥诮自己，猪八戒如何能再忍。

于是，猪八戒拿起钉钯，抖擞精神，与沙僧一起冲上前去。

那妖怪一见三人都来了，于是丢出右脚绣花鞋，吹口仙气变成自己，短时间吸引三人注意，真身却早飞去一旁，再度掳走了唐僧。

猪八戒奋起神威，一钯子打死妖精，正高兴间，却见妖精化为一只绣花鞋。孙悟空大惊，知道又上当了。三人同去后山寻找唐僧，唐僧哪里得见！

结合三人的言行举止，大家看出啥问题来了吗？

在取经路上，神通真正在孙悟空之上的妖、仙极少。镇元大仙与九灵元圣算是其中的佼佼者。只有少数妖王能与孙悟空战平，绝大多数妖王都是孙悟空手下败将。可是在取经路上，一个战力中庸的妖王甚至战力成渣的妖王都可以轻松掳走唐僧，这是怎么一回事呢？

用沙僧的话来说，叫作"单丝不成线，孤掌也难鸣"。妖王们经常用一个人缠住孙悟空，然后让自己的兄弟、先锋、真身绕路去掳走唐僧。

唐僧不是还有两个徒弟——猪八戒与沙僧吗？

是的，唐僧是一共有三个徒弟，可真心保护唐僧的徒弟只有孙悟空一个。并且，就连这一个孙悟空，其真心中也掺杂着不少私心。

在此番大战老鼠精营救唐僧的行动中，可以说孙悟空三兄弟的行为都有缺陷，都为营救行动制造了困难。

首先说孙悟空。

取经路上经常出现这样一种怪现象：孙悟空明明可以轻松弄死妖怪，却总是放纵妖魔，重惹纷争。

狮驼岭上，孙悟空钻入狮魔肚子以及用金箍棒捅入象魔鼻子时，完全可以撕裂狮魔心肝肠胃，捅破象魔脑壳，轻松击杀两位魔头，顺利通过狮驼岭。可是，在狮魔、象魔口头答应屈服后，孙悟空就放走了妖魔，从而惹出更多风波。

在陷空山，孙悟空钻入老鼠精肚子，完全可以弄死老鼠精，杀死全部小妖，再慢慢营救唐僧。可他只是让老鼠精背出唐僧，就放过了老鼠精，以致老鼠精再度掳走唐僧。

孙悟空这么做，有其光明磊落的一面。

按照猪八戒与沙僧的处事逻辑，“趁你病，要你命”是再正常不过的事情。可孙悟空呢，对手若是生病，他常常会等对手病好之后再与之大战。孙悟空要赢，就想赢得光明磊落，赢得令人心服口服。

孙悟空如此做，也有其私心杂念的一面。

孙悟空极度好胜，总是想方设法地在唐僧面前、在两位师弟面前、在三界仙人面前证明：我最棒。

于是，他经常逼迫猪八戒去巡山，偶尔会放纵妖魔掳走唐僧，甚至在唐僧被掳走后故意不及时营救。他就是要让猪八戒被妖怪欺负，就是要让唐僧受点惊吓，以让烦人的猪八戒与多嘴的唐僧意识到他齐天大圣孙悟空独一无二的重要性。换言之，为了刷点存在感，猴哥也会耍手段。

再说猪八戒与沙僧。

前文已经分析过：猪八戒与沙僧下界，乃是太上老君与玉帝权力博弈的结果。两人被贬时对外公布的理由都非常可笑，一个是调戏妇女，一个是打碎了杯子。他们二人一个是天河水军元帅，一个是南天门禁军统领，被贬的真正原因怎么可能如此简单？

他们被贬的真正原因是，孙悟空大闹天宫时诸天星宿存在大量不作为现象，以致激发了玉帝与太上老君的权力斗争。最后，双方在军界代表人物中各自拿下一人，下放到取经队伍当中。这两个人加入取经队伍，是高层两大势力对西方佛派的公开渗透。如来对二人根本不抱有任何希望，注定不会重用二人。取经行动后，佛派给他们的果位注定不会太高。

孙悟空则不同。他在明面上并没有高层背景，且在大闹天宫中与高层撕破脸面，属于被彻底清洗的角色。这种人物若是拉拢得当，极有可能会真正融入佛派。

因此，也就难怪取经路上孙悟空认真降魔，猪八戒、沙僧则积极拆台了。

第三节　天王尴尬

人在江湖飘，哪能不挨刀。只要是有人的世界，就会有利益纷争，就会存在坑人与被坑。在西游世界中有那么一位神仙，在天庭身居高位，深受玉帝信任。只是，位高权重的他不小心被人惦记上了，于是一而再、再而三地被人谋算。综合西游各大神仙的经历，此仙堪称被谋算得最狠的神仙。

他就是官拜天庭降魔大元帅、江湖诨名“托塔天王”的李靖。

连续谋算他的人是谁呢？是人间五老之首、高坐灵山的如来。

被谋算事件一：干爹风波。

唐僧第二次被老鼠精掳走时，孙悟空返回陷空山寻找。正乱撞间，忽然闻到一股香火味。他顺风追去，见到一处宅院。走入一看，见屋中有一个大供桌，供桌上有个鎏金香炉，香炉后有一高一矮两个牌位，一个写着“尊父李天王位”，一个写着“尊兄哪吒三太子位”。孙悟空一看，哈哈大笑，满心欢喜，也不去寻找妖精了，直接上天庭找玉帝告状去了。

孙悟空为何大笑？

此前，孙悟空有好几次机会可弄死老鼠精，可为啥他总是手下留情呢？除了之前所说的他有原则，也有私心这两个因素外，更为主要的是他还不清楚妖精的背景。所谓“八十一难皆是局，降妖伏魔一场戏”，既然多数劫难都是观音安排的，那也就意味着许多妖魔都有着强大的天庭背景。

曾经，孙悟空非常狂妄，自以为可以和四帝、五老称兄道弟。经过多年的挫折，孙悟空已经明白，四帝级别的仙人是高山仰止的存在；五老级别的仙人翻手就可以拿住他；即便是五老以下仙人之中也是高手如林，不可轻易得罪。

为此，孙悟空总是上天入地找寻帮手，费尽心机查询真相。一直等到妖精的主人公出现，大家握手言和，降妖行动才宣告结束。

既然得知李靖原来是老鼠精的父亲，孙悟空怎能不大笑？别人怕李靖位高权重，孙悟空可不怕。无论是官职还是神通，孙悟空都在李靖之上。论公也好，论私也罢，孙悟空都有把握与李靖大干一场。

只是，孙悟空万万没有想到，人家李靖根本不认识什么老鼠精，根本不承认有什么女儿。经过太白金星从中斡旋，这才由哪吒三太子说出了真相。

原来，李天王当年秉承如来意思释放了老鼠精。那老鼠精主动要求认李天王为干爹，哪吒为义兄，而李天王当时根本没有答应，也没有把此事放在心上，把老鼠精交给佛祖后，就回转天庭去了。李天王没想到如来竟然把老鼠精安排在陷空山无底洞居住，更没想到老鼠精从此之后就自封为他的干女儿。

听了哪吒诉说，李天王吃惊道：“孩儿，我实忘了，他叫作什么名字？”这托塔天王竟然连老鼠精的名字都不知道，足见在认干爹这件事情上他并没有认可。

那么，是谁给了老鼠精胆子，在李天王没有点头的情况下就自封为他的干女儿呢？

毫无疑问，这个人是如来。早在许多年前，老鼠精就已经被如来掌控，她的一举一动都是秉承如来的旨意。三百年前老鼠精反出灵山，如来不派八大金刚追捕，反而让托塔天王李靖缉凶本就是一个局。

被谋算事件二：父子成仇。

其实，干爹风波还不是李天王第一次被如来谋算。早在更久远之前，李天王就已经被如来谋算过一次。谋算人的道具有个名字，叫作“哪吒”。

《西游记》中对哪吒的设定与《封神演义》中大大不同。

其一，出生异象不同。

《封神演义》中，哪吒的母亲怀孕三年才待产，生产时产出一个球体，被李靖用剑劈开后，才变成一个会走会跳的小哪吒。

《西游记》中，对其母怀孕多久没提，哪吒产下时也不是球体。两书最大的不同是，《西游记》中这一婴儿左手上有一个“哪”字，右手上有一个“吒”字。因此，李天王就给孩子取名“哪吒”。

其二，大闹龙宫的细节不同。

在《封神演义》中，哪吒是七岁闹海，在《西游记》中则变成了哪吒出生后第三天就下海洗澡，并踢倒了水晶宫，捉住蛟龙（不是东海龙王三太子）剥取龙筋。其他如李靖大怒、哪吒割肉剔骨还父母等情节则相同。

其三，重塑身体的人不同。

在《封神演义》中，为哪吒重塑身体的是其师太乙真人。在《西游记》中没有太乙真人，为哪吒重塑身体的是西方佛老如来。

不过，《西游记》对哪吒这个传统神话人物最大的改造，并非以上三处，而是对哪吒与如来关系的设定。

按照作者的设定，哪吒无论是在第一世也好，还是在第二世，都是如来的人。他两世为人，生存的最大目的都是替如来接近并挟持托塔天王李靖。

为何这么说呢？

一者，哪吒出生时竟然手掌有字。人的手掌纹路再怎么长，也不可能长成文字，尤其是繁杂如“哪吒”二字。唯一的可能就是人为，即有人在哪吒转世前就在其掌心写下“哪吒”二字。

为何要这么做呢？是在提醒哪吒转世之后切不可忘记了此生的任务。哪吒的任务是啥？是大闹龙宫，闯出大祸来。

二者，哪吒自杀后，其魂魄本当被勾魂使者带往地府，可是哪吒的魂魄竟然“径到西方极乐世界告佛”。所谓“径到”，就是直接到。

这哪吒魂魄百分百是认识灵山的路途。可哪吒仅仅是才出生几天的孩子，此生根本就没到过灵山，为何会认识前往灵山的路途呢？很明显，哪吒在前一世就是灵山之仙，并且是受佛祖之命离开的，因此在死后灵魂才会直接飞回灵山拜见如来。

三者，如来在重塑哪吒身体后，哪吒要杀李天王，李天王无奈之下求告到如来面前。如来于是“唤哪吒以佛为父，解释了冤仇”。

如来公开宣布，认哪吒为子，并要求哪吒放弃以往的怨仇。若非哪吒与如来本就关系亲密，如来何必要为哪吒重塑身体，又认其为子呢？

那么，何处可见如来在此处谋算李天王呢？

如来有能力、有办法，却没有去化解李天王与哪吒之间的父子怨仇。

要解开李天王与哪吒之间的父子仇怨，是不是很艰难呢？不是的。

按照古人的观点，身为人子的哪吒本就是承继父精母血而生。即便父母无情，要收回儿女的性命，那也是理所应当。是以古人才说："父叫子亡，子不得不亡。"也就是说，哪吒以割肉剔骨自杀，其实是怨仇两消，第二世时就不应该再记仇了。

若哪吒记仇，要杀掉李靖，那应当怎么办呢？在古代，子杀父为"弑"，乃十恶不赦之罪，人人可得而诛之。如来应该秉持公义，坚决镇压逆子哪吒，将其灭杀。

然而如来对哪吒弑父的冲动基本上没有去遏制，只是通过赠送黄金宝塔的方式，让李靖仅仅能够苟安。这就如同一个人受了箭伤，结果医生只是把箭杆剪断一样。如来的处理方法，根本就是治标不治本。

但是，如来的这个方法是最好的挟制李靖的方法。

若是灭杀或者拘押哪吒，那李靖就获得了自由，就会脱离佛派的掌控。反之，李靖要想求得安全，就必须时刻托着宝塔，时刻找寻如来的庇佑，时刻加强与佛派的关系，最终在天庭充当佛派的传声筒。

这哪吒前世到底是谁呢?

在《西游记》中只是提到如来的二弟子叫金蝉子。很多人都疑惑如来的大弟子哪去了。我有一个大胆的猜测，这哪吒即如来的大弟子。

为了巩固佛派在天庭的势力，如来派出大弟子转世投胎，成为李靖之子。在哪吒重生后，如来又公开认下哪吒为子。前世为师徒，今生为父子，可见如来是很爱哪吒这个弟子的。

第四节　变化争胜

孙悟空的变化之术堪称西游一绝。尤其是随着取经路上降妖伏魔的历练，孙悟空的运用经验飞速增长。可以说，到了取经后期，孙悟空的变化之术已经到了炉火纯青的地步。

当然，由于孙悟空学习的是地煞变，先天就比不上天罡变——孙悟空变化人形时，只能变化嘴、脸、手、脚，身体依然是猴身，而猪八戒变化时则没有这个局限。不过，孙悟空勤于揣摩，苦心修行，在变化之术的综合实力上确实高于学习天罡变的猪八戒。同样修习地煞七十二变的牛魔王，也比孙悟空略逊一筹。

相比众多的神仙、地仙和绝大多数的天仙，毫无疑问，孙悟空的变化之术相当高明。可是在西游世界有一位妖王，虽然在变化的种类上不如孙悟空繁多，但是在变化的精细度上比孙悟空还要技高一筹。

这位妖王就是陷空山无底洞的老鼠精。

在各种变化之术中，最为艰难的不是自身的变化，而是将他人、他物进行变化。在西游世界天尊以下级别的仙、妖中，一共有三位曾经对他人、他物施展过类似的变化神通。

第一位是二十八宿之一的奎木狼。

奎木狼下界化身黄袍怪。因唐僧派出猪八戒、沙僧降魔，奎木狼大怒，于是亲自前往宝象国，将唐僧变成了老虎精。奎木狼是如何操作的呢？原文说："那怪接水在手，纵起身来，走上前，使个黑眼定身法，念了咒语，将一口水望唐僧喷去，叫声：'变！'那长老的真身，隐在殿上，真个变作一只斑斓猛虎。"

细品原文可以发现：奎木狼对唐僧施展的法术，严格来说并非变化之术，而是幻术。为何如此说呢？

黄袍怪以黑眼定身法定住唐僧，念动咒语，将清水喷出，雾气在唐僧周围凝聚成一个老虎的形象。宝象国君臣看到的只是符水变出的幻象，而唐僧其实一直都是唐僧。

变化之术不是幻术。简单来说，幻术就是障眼法，外表貌似发生变化，其实本体依然如故。变化之术则不然。

孙悟空变成苍蝇，那就是从头到脚、从里到外都是苍蝇；孙悟空变成大树，那就是从枝叶到根须，真真切切就是大树。这也是孙悟空施展变化之术后，同时拥有新事物的优点与缺陷的原因。

孙悟空是如何破除这个幻术的呢？

原文说："行者接水在手，念动真言，望那虎劈头一口喷上，退了妖术，解了虎气。"孙悟空的手法与奎木狼的一模一样。我们可以推知，这种手法在当时仙界是一种很寻常的幻术手法。不仅孙悟空能破除，猪八戒、沙僧等人也应该能破，只是他们没有出手而已。

第二位是孙悟空。

在通天河故事中，孙悟空曾经吹口仙气，帮助猪八戒变化成一秤金。不过猪八戒本身就会变化之术，故我们挑另一件事作为说明。

在比丘国故事中，国王听信国丈谗言，派出锦衣官前往驿馆抓捕唐僧。听闻讯息，唐僧大惊。以孙悟空三兄弟的神通，自然可以杀尽官兵，保得唐僧周全。可是，打死无辜人与取经人使命不符。孙悟空在苦思冥想之下，终于想出了一个两全其美的策略。他提出："若要全命，师作徒，徒作师，方可保全。"唐僧早就吓得半死，忙答应说："你若救得我命，情愿与你做徒子徒孙也。"

孙悟空的办法其实很简单，就是由他变成唐僧前去皇宫，当堂挖出心肝来；唐僧则变成孙悟空，与猪八戒、沙僧一起待在驿馆，等待真孙悟空回归。如此，既可以降妖伏魔，也不至于滥杀无辜。

可是，唐僧不会变化之术，如何能变作孙悟空呢？

孙悟空吩咐猪八戒到院中取了泥土，和上水，揉成一团软泥，然后敷在自己脸上。一会儿孙悟空把自己这脸模，又敷在唐僧脸上，吹一口仙气固定住。那唐僧的脸就变成孙悟空模样了。

其间，猪八戒捣鬼，故意不去取水，而是自己撒了泡尿来和泥。因时间紧急，孙悟空与唐僧虽然恼恨，却也不得不把满是尿骚味的泥巴糊在脸上。

如何评价孙悟空对唐僧施展的变化之术呢？

可以说此次变化并不高明。与其说这是变化之术，不如说是化装之术。就连两人的衣服也都是换穿，而不是直接变化。

第三位是号称“半截观音”的金鼻白毛老鼠精。

这老鼠精的天赋神通就是变化之术。在《西游记》中，她曾经变成被绑的凄苦少妇，后来又变成一个调戏和尚的风流熟女。

在与孙悟空打斗时，她更施展神通，把自己的绣花鞋变成本身模样，与孙悟空相斗。原文说：“等行者赶到紧急之时，即将左脚上花鞋脱下来，吹口仙气，念个咒语，叫一声：‘变！’就变做本身模样，使两口剑舞将来，真身一幌，化阵清风而去。”

在整部《西游记》中，孙悟空有一项天尊以下所有仙人都不具备的绝顶神通——身外化身。原著说，只因孙悟空修习天仙诀有成，全身八万四千根毫毛皆能随心变化。仗着这项神通，孙悟空在西天路上几乎可以横着走。

不过，毫毛毕竟是孙悟空本身之物，能变成孙悟空之形态也可以理解。但是，老鼠精的鞋子却是纯然外物，这就不能不说老鼠精的变化神通相当厉害了。

孙悟空有没有识破这绣花鞋变成的老鼠精呢？没有。

孙悟空丝毫没有察觉到老鼠精的真身已经离开，依然在和绣花鞋化成的老鼠精作战。绣花鞋有老鼠精一口仙气的支持，竟然也能与孙悟空交手一二回合。绣花鞋虽然最终被孙悟空一棒子打出原形，可是老鼠精已经成功脱身，并顺道掳走了唐僧。

这就说明，老鼠精不但能随手让一个外物变化成自身模样，并且能让此物稍具神通，类似于入门级的身外化身术。

相比奎木狼与孙悟空对他人、他物施展变化的神通，老鼠精要高明太多。

第五节　红孩儿转型

自从真假美猴王故事后，孙悟空就没有再去南海找观音。在离开无底洞后，观音却不请自来，并且随行的并非木叉、龙女，而是被降伏不久的红孩儿。

红孩儿加入南海一脉不过短短数年，为何观音就如此信任、倚重他，竟然把陪同出行这等光鲜的工作托付于他？

首先，是因为红孩儿成功实现了由妖到仙的转型。

在西游世界中，妖是恶的化身，仙是善的代表。作为西游世界“妖二代”的代表人物，红孩儿身上有许多恶。红孩儿没有杀人放火，他的恶集中体现在自大、狂妄上。

红孩儿的背后，有号称西方世界第一魔王的父亲，有盘踞一方、受万千百姓供奉的母亲、叔叔，更有高高在上、为万千仙妖仰望的道祖太上老君。显赫的身世让红孩儿从小就养成了颐指气使、不把仙当仙的毛病。三百年就修炼成三界罕见的三昧真火神通，更让红孩儿信心爆棚，自以为三界无双，不把天下仙人放在眼中。即便是对战昔日的齐天大圣，红孩儿也毫无惧色。甚至是面对人间五老之一的观音，他也敢挺枪就刺。

可是，在加入观音麾下后，昔日妖王红孩儿迅速变成一个谦恭守礼、宽容大度、处事不卑不亢、颇有气度的仙。

在降伏红孩儿时，观音使用的手段可称狠辣。

开始时，观音引诱红孩儿坐上天罡刀化成的莲台，以刀狠刺红孩儿大腿，以至于红孩儿两腿血肉模糊，痛苦难当。后来，观音又扔出金箍将红孩儿手足束缚，并且念动真言，让红孩儿从火云洞一步一拜，前往南海。观音的道场落伽山距离火云洞何止万里，以红孩儿一步一拜的速度，没个一年半载根本到达不了。估计到达落伽山时，红孩儿的双手双膝基本上是半残了。

可是，孙悟空再见到红孩儿时，红孩儿谈起观音不但没有半点怨气，反倒对能够拜在观音门下深感荣幸。原文中红孩儿说："孙大圣，前蒙盛意，幸菩萨不弃收留，早晚不离左右，专侍莲台之下，甚得善慈。"

上级最喜欢的不是精明强悍的下属，而是忠心不二的下属。在能力与忠心的单项选择中，所有明智的上级都会选择忠心。

红孩儿曾经很狂，对于这点，观音其实并不生气。但凡有真本领的人，大多比较狂妄。只要其心可用，狂一点没啥。红孩儿能说出感谢孙悟空的话，足见他对观音是感激涕零、拜服不已。对如此有本领又忠心的部下，观音当然要重用。

其次，是因为红孩儿代表的势力可堪利用。

像红孩儿一样有本领又有忠心的部下，在南海仙人中有不少。比如来自黑风山的守山大神黑熊精就是。不过，黑熊精在来到南海之后，虽然职权颇大，肩负守山之责，但距离观音始终比较远。

在真假美猴王故事中，孙悟空与假猴王来到南海时，原文说："那菩萨与木叉行者、善财童子、龙女降莲台出门喝道：'那孽畜那里走！'"

大家注意原文中人物出场的顺序。中国人自古以来就讲究排名。此处人物的出场正体现了南海群仙中主要人物地位的排名。在南海群仙中，核心人物有四位，刚加入南海仅数年的红孩儿（善财童子）赫然排在龙女之前，名列第三。

至于黑熊精，在此次行动中并没有出场。原因也不难猜。黑熊精乃是后山守山大神，从职权上来说肩负南海安保工作重任，但实际地位其实如同金鱼精、二十四诸天一样，并非高层核心，只是具体部门负责人。

无论是在西游世界，还是在现实世界，在多数时候决定一个人最终命运的，不是个人实力，而是背景、关系。

前文分析过，黑熊精虽然是草根出身，背后却有观音的影子，说黑熊精是观音的记名弟子丝毫不为过。不过，以观音记名弟子的名分，能占据守山大神一职，黑熊精已经混到头了。

红孩儿则不然。其背后势力隐藏之深，即便是观音也要忌惮三分。

在取经中期，牛魔王已经归附了佛派，势力迅速缩水，但是其师道祖太上老君的身影依然遍及三十三重天。红孩儿虽然只是太上老君的徒孙，却是太上老君万千孙辈中最得宠的一个。重用红孩儿，无疑能够加强南海一脉与太上老君派系的联系。有道祖的支持，观音无论是在天庭，还是在佛派，都会得到强大助力。

红孩儿为何会发生这么大的转变呢？

有两个方面的原因。

其一，观音大展神通，为红孩儿开启了一扇新世界的大门。

红孩儿像多数“妖二代”一样，从小就受到万千宠爱，几乎没有受过任何挫折。在以往的世界中，一切都围绕红孩儿转动。在那个世界中，红孩儿就是王。可在新世界中，红孩儿只是万千群仙中的一员。

在观音身边，神通堪比甚至超过红孩儿的绝不在少数。观音的大弟子木叉自不必说，此人的真实水平并不在孙悟空之下。即便是原来的龙女以及后来加入的守山大神，其武艺神通也在红孩儿之上。并且，南海一脉的仙人主修水系功法，红孩儿的三昧真火在南海仙人中（比如金鱼精）根本讨不到好。没有了三昧真火的优势，红孩儿只算是一个二三流妖王。

其二，红孩儿的倔强与自信，使他快速适应了新世界。

意识到自己的平凡甚至渺小，对于一些人来说是毁灭性的打击。有些人常常无法承受这种挫折，以致信心崩溃。但红孩儿不愧是“妖二代”中的佼佼者。他天性好强，不甘失败。在拜入观音麾下后，红孩儿一边聆听观音说法，一边刻苦修行，其神通、法术稳步提升。

红孩儿的底子其实非常好。他在天界修行时间不到一年，就已经能够与孙悟空大战二十回合不败，并且变化神通远在许多地仙之上。他变化的观音，就连猪八戒也看不出是假。

自身的努力，加上观音的力挺，必将让红孩儿的神通飞速提升。红孩儿日后修成天仙，达到佛级，几乎是板上钉钉的事情。

第六节　国王灭法

在如来所在的西牛贺洲，有那么一个国家，不但不信奉佛法，反而标榜灭法，屠戮僧侣，公开与佛派唱反调，死在这个国家的佛派弟子将近万数。可是，制造人间佛派地狱的灭法国王，不但没有被当成妖魔镇压，反倒获得佛派高层庇佑，并答应保他江山永固。这是怎么一回事呢？

要想弄清楚这个问题，首先要明白灭法国王为什么要杀和尚。

不同的人对这件事情的描述有着明显不同。

灭法国王告诉唐僧："朕常年有愿杀僧者，曾因僧谤了朕，朕许天愿，要杀一万和尚做圆满。"

原来，这灭法国王并非无端造孽，而是因为在前两年有个和尚欺骗、诽谤了他。他"恨乌及屋"，遂下令杀戮和尚，以解心中仇恨。

化为老母的观音说："那国王前生那世里结下冤仇，今世里无端造罪。二年前许下一个罗天大愿，要杀一万个和尚，这两年陆陆续续，杀够了九千九百九十六个无名和尚。”

观音乃人间五方五老之一，天尊级别的存在，看待问题自然高人一等。她认为，那国王今生杀和尚看似无端造孽（被人诽谤），然归根究底，是因为在前世中的某一世与佛派结下了怨仇。也就是说，这灭法国王之所以恨佛派，不仅有这一世的原因，更有前世的许多恩怨。

在西游世界中，人间帝王虽是凡人，但多数背景不凡。即便是神仙一流，在拜见帝王时也多以礼相待。这位灭法国王在前世中就已经与佛派结下深仇大恨，但即便如此，他依然能够转世投胎，到佛派灵山所在的西牛贺洲出任国王。

这说明了什么？说明这国王背后有着强大势力的支持，甚至这国王极有可能是玉帝或者太上老君派系——总之是道派仙人转世投胎。否则，这灭法国根本不可能在西牛贺洲存在，更不可能让观音亲自出面提醒孙悟空切莫耍横。

另外，这灭法国王一方面大杀和尚，恶狠狠如冷血屠夫，另一方面却善待百姓，明于治国。他治理下的灭法国，百姓和睦，官员尽责，一派繁华太平景象。

原文说：“十字街灯光灿烂，九重殿香蔼钟鸣。七点皎星照碧汉，八方客旅卸行踪。六军营，隐隐的画角才吹；五鼓楼，点点的铜壶初滴。四边宿雾昏昏，三市寒烟蔼蔼。两两夫妻归绣幕，一轮明月上东方。”

唐僧师徒走入灭法国都城，在看到种种景象后，无不赞叹“此处是个太平境界”。当孙悟空站在云端观看灭法国都城时，更是吃惊地看到："那城中喜气冲融，祥光荡漾。"

在人间城市中出现了祥光荡漾，这种情形在西方各国中还是第一次。即便是大唐都城长安，也没有如此奇异景象。这和那祭赛国靠着法宝舍利子形成的金光完全不同：祭赛国是依靠法宝，灭法国则是因为有明君在上。正因国王贤明，官员尽责，百姓安享太平，喜气冲天，才形成祥云瑞霭。

从唐僧师徒在灭法国的住宿经历也可以看出，灭法国都城内确实治安良好，官员尽责。而那唯一的一起盗窃案，是由唐僧身边的三十九位护法神制造的。并且在案发之后不久，灭法国巡查官员就把贼赃缴获。

在孙悟空大展神威，把灭法国上至国王、下至普通官员都剃成和尚头之后，灭法国王与文武百官的反应尤为可贵。原文说："那皇帝摸摸头，唬得三尸神咋，七魄飞空，道：'朕当怎的来耶！'正慌忙处，只见那六院嫔妃，宫娥彩女，大小太监，皆光着头跪下道：'主公，我们做了和尚耶！'国王见了，眼中流泪道：'想是寡人杀害和尚……'"

在得知自己被剃成光头后，国王的第一反应是吃惊。为何会吃惊？只因对方可以在你毫无察觉的情况下剃光你的头发，也就意味着可以让你毫无察觉地死去。相比割头，剃发的难度大得多。

作为帝王，在生命受到威胁时，第一反应是什么？一般来说，第一反应是大怒，是要反击，下令追查刺客，杀戮一切有关人员。可是，灭法国王的态度却是一边流泪，一边表示所有罪责都在于自己。单看这一点，这灭法国王就可称气度不凡，勇于担当。

到了早朝时间，文武百官齐聚大殿。原文说：“文武多官俱执表章启奏道：‘主公，望赦臣等失仪之罪。’国王道：‘众卿礼貌如常，有何失仪？’众卿道：‘主公啊，不知何故，臣等一夜把头发都没了。’”

在灭法国，没有了头发就意味着有杀头的危险。可是，满朝文武在自己被剃了光头，却不知道别的官员也被剃了光头的时候，第一反应是写表章，向国王禀明此事。

这可实在太难得了。从此事可以看出，灭法国这班文武大臣基本上都是忠诚可用之人。

而灭法国王在见到官员擒来的唐僧师徒四人的时候，立刻明白了剃头事件的真正原因。他主动说明杀僧的原因，承认错误，并且表态愿意皈依佛派，拜唐僧为师。猪八戒打趣说，拜师需要礼物。灭法国王毫不迟疑地说：“师若肯从，愿将国中财宝献上。”

这灭法国王被剃了个头，就改换了信仰，变成了佛派之人吗？当然没有。不过，灭法国王是一个眼光锐利、明察风向的人。眼前明摆着灭法国剃头风波就是这四个和尚所为。而能够在一个晚上把成百上千个居住在不同地方的不同官员统统剃光了头，却无一人知觉，这说明了什么？说明这四个和尚绝非凡人。

在亲身感受到佛派仙人的强大力量后，灭法国王果断决定，毫无保留地放低姿态。唯有如此，才可以活命。

孙悟空其实也已经猜到灭法国的背后是道派和佛派高层间的较量。于是他并没有为难灭法国王，反倒安慰说：“你只把关文倒换了，送我们出城，保你皇图永固，福寿长臻。”

灭法国王倒换关文后，主动请求唐僧帮忙改换国号。唐僧还没开口，孙悟空却说：“陛下‘法国’之名甚好，但只‘灭’字不通。自经我过，可改号‘钦法国’，管教你海晏河清千代胜，风调雨顺万方安。”

在取经后期，孙悟空的言行越来越有个性。他既不甘心当太上老君的棋子，也不甘心做如来的仆从，他要努力发出自己的声音。

看孙悟空言语，“自经我过，可改号‘钦法国’”，这灭法国改名的真正原因是什么？不是因为什么佛派，也不是因为唐僧，而是因为他孙悟空。

并且，孙悟空将灭法国改成钦法国，丝毫不提佛派。这也可以看出，孙悟空追求的并非独尊佛派，而是佛道并重。

第七节　最牛小妖

西游世界的许多魔王看起来很牛，可多数依靠的或者是深厚背景或者是主子的厉害法宝。若去掉这两项优势，所谓强大妖魔就得散去光芒，沦为二流货色。可是，西游世界还有那么一个小妖，绝对是草根般的存在，却凭借机智权谋，三招两式把孙悟空整哭。

孙悟空也算是多谋善断，智慧超群，可是在这小妖面前处处落于下风。此等小妖，堪称西游世界最牛的小妖。

这小妖是谁？他乃隐雾山折岳连环洞南山大王麾下先锋铁背苍

狼怪是也。

唐僧师徒经过隐雾山时，南山大王没有招惹唐僧，孙悟空却派出猪八戒来打妖怪。南山大王本领低微，在众小妖护卫下勉强和猪八戒战个平手。后来，孙悟空来临，在半空喝道：“八戒不要忙，老孙来了！”猪八戒一听猴哥来了，怕被抢功劳，于是神威暴涨，使出真实战力来，三下两下就把妖王打得大败。

回到洞府后，南山大王闷闷不乐。眼看唐僧路过他的地盘，他想吃唐僧肉却无法得手。谁让他技不如人呢？

所谓“主忧臣辱”，见南山大王不开心，铁背苍狼怪主动出列，献上“分瓣梅花计”。凭此妙计，南山大王玩弄孙悟空、猪八戒、沙僧于股掌之中，轻松掳走唐僧。

这“分瓣梅花计”具体如何操作的呢？

铁背苍狼怪的设计堪称完美。唐僧为何难抓？只因他身边有三个神通广大的徒弟。他建议南山大王在上千小妖中选出武艺高强且精通变化的三个小妖，让这三个小妖都穿上南山大王的铠甲，拿着与南山大王一样的武器，在唐僧前进的必经之路上埋伏。然后让一个小妖负责引开孙悟空，一个小妖负责引开猪八戒，一个小妖负责引开沙僧。然后真正的南山大王亲自出马，掳走毫无防卫的唐僧。

三个小妖自然不是唐僧徒弟的对手，但是打个照面，引来对手就可以逃跑，最差的结果不过是损失三个小妖。只要孙悟空三人离开唐僧，南山大王必然可以得手。

因此，这个计策只需付出微小代价，就可以获得丰厚回报，实在堪称妙计。

计策实施起来，具体情况如何呢？

第一个“南山大王”跳出来时，孙悟空派猪八戒去打。小妖往山坡下撤退，猪八戒追上打斗。唐僧师徒继续前行，第二个“南山大王”又跳了出来。孙悟空说：“八戒的眼拙，放那妖精来拿你了。等老孙打他去！”孙悟空还以为眼前的南山大王就是与猪八戒打斗的南山大王，于是脱离队伍，追上去打。一会儿又一个“南山大王”跳出来，沙僧大惊说：“师父！大哥与二哥的眼都花了，把妖精放将来拿你了！你坐在马上，等老沙拿他去！”结果沙僧也被支开，只剩下唐僧一人。

最后的结果是，三个假南山大王一个都没死，真南山大王轻松把唐僧掳走，大获全胜，满载而归。孙悟空三兄弟见面时互相责怪，后来看到唐僧不见了，才意识到中计了。

南山大王抓到了唐僧，大喜之下封铁背苍狼怪为先锋大将。

抓到唐僧后，一个新的问题出来了：如何保证在吃了唐僧后还能平安无事。

南山大王麾下有一个来自狮驼岭的小妖，据他说，吃唐僧肉可以得长生。可是，即便这个说法真实可信，那也只是说寿命可以延长，并非就变得打不死。若吃了唐僧肉后，第二天就被孙悟空打死了，不是空欢喜一场？

为了保证妥妥地吃上唐僧肉，铁背苍狼怪接连献上两计。

第一计叫缓兵之计。

铁背苍狼怪说，不如把唐僧送到后园中，绑在树上，饿他个两三天。一来，可以清清唐僧的肠胃（吃的时候干净一些）。二来，静观其变等待时机。万一扛不住，把唐僧送出去也行。

第二计叫疑兵之计。

孙悟空打上门来时，南山大王自知是败军之将，不禁抱怨先锋惹出大祸来。铁背苍狼怪说："大王放心，且休埋怨。"然后他开始施行疑兵之计。

首先，他让人拿来一个柳树根，用钢刀削砍为一个人头模样，然后喷上一些人血，弄得血糊糊的。再派一个小妖，拿着一个托盘托着假人头送给孙悟空。小妖告诉孙悟空，唐僧一被抓入洞中，就被群妖分着吃了，如今只剩下一个人头。猪八戒一听大哭起来。孙悟空却提醒大家，人头可能是假的。

孙悟空是如何分辨真假的呢？他说："真人头抛出来，扑搭不响；假人头抛得象梆子声。你不信，等我抛了你听。"他拿起来往石头上一掼，当的一声响亮。又一棒子打下，人头裂开，里面果然现出树根模样。猪八戒大怒。

听闻小妖说孙悟空已经识破了骗局，铁背苍狼怪一点也不慌。所谓疑兵之计，那就是虚虚实实。他早就料到孙悟空多疑，不会轻易上当，故此，他故意把柳树根做成的假人头第一个抛出。

之后，铁背苍狼怪让小妖挑了一个吃不了的、新鲜的人头，并让小妖三口两口把人头上的皮肉吃了，搞得血肉模糊，五官不分。然后，他让小妖托着人头再次出去见孙悟空。小妖依照交代说："大圣爷爷，先前委是个假头呢。这个真正是唐老爷的头，我大王留了镇宅子的，今特献出来也。"

铁背苍狼怪为何让小妖承认此前是个假头呢？他非常懂得揣摩

人心，尤其是对孙悟空的心理把握得很准。承认是假人头，就等于承认孙悟空智慧超群。孙悟空这个人最爱听人奉承，一被人拍马时智力立刻直线下降。

原文说："孙行者认得是个真人头，没奈何就哭。八戒、沙僧也一齐放声大哭。"猪八戒傻乎乎地去挖坑埋人头，找来几棵松树柏树为人头坟遮阴，又找了几颗石头当作点心，供养唐僧。

只是，所谓草根毕竟是草根，有着天生的局限性。

在铁背苍狼怪看来，唐僧是取经团队的带头人，唐僧都死了，队伍还不散伙？孙悟空回花果山，猪八戒回高老庄，沙僧回流沙河，取经任务宣告败北。之后，大家就可以安安心心吃唐僧肉了。他哪里知道，取经团队的背景深不可测，观音是直接负责人，如来是行动总指挥，就连三界之主玉帝也对取经行动时刻挂心。

此刻，孙悟空看到唐僧死了，第一个反应不是逃跑，而是要如何把三兄弟护卫不周的罪责减到最低。

孙悟空说："教沙僧在此，一则庐暮，二则看守行李、马匹。我和你去打破他的洞府，拿住妖魔，碎尸万段，与师父报仇去来。"如果能够为唐僧报仇雪恨，保住行李、马匹，或许观音、如来能开天恩，原谅他们，保不齐还让取经行动继续呢？

铁背苍狼怪虽然智慧超群，可真实实力平平。在双方实力相当，或者一方略逊的情况下，智谋往往可以左右大局。但若是对方实力超强，己方实力超弱，此时即便己方有妙计千条，也难逃被碾压的命运。

孙悟空带着猪八戒上门叫战，南山大王本想不出战，可山门几乎都要被猪八戒筑穿，无奈只能出战。铁背苍狼怪知道关系自己命运的时刻到了，带领一班小妖拼死作战，一时间倒也和孙悟空、猪八戒打个平手。谁曾想孙悟空拔一把毫毛，变作千百个小行者，人人挥舞金箍棒。无论是数量上还是质量上，孙悟空队伍都在群妖之上。那南山大王最是胆小，首先逃跑。他一旦溃逃，所有小妖立刻跟风。

铁背苍狼怪也想逃跑，可惜没有变化之术，被孙悟空追上，一棒打死。西游世界最牛的小妖，就这样落得个魂飞魄散的悲催下场。

第八节　猜忌魔障

唐僧师徒在隐雾山上遇到了西游世界最牛的小妖铁背苍狼怪，同时也遇到了西游世界不入流的妖王艾叶花皮豹子精，即南山大王。

这个豹子精和普通状态的猪八戒比斗就已略处下风，他招呼群妖齐上，围住猪八戒乱打时，猪八戒方才有些慌张。等听到孙悟空在空中呼喝，猪八戒有了底气，几钯子就把豹子精击退了。

原著曾说，（普通状态下的）猪八戒十个也斗不过黄袍怪（奎木狼）。而黄袍怪拼尽全力也不是孙悟空对手。可见，普通状态下的猪八戒何等差劲。换言之，这豹子精如果和孙悟空单挑，也就能走个三五回合。在西天众妖王中，他堪称垫底的存在。

可是，就是这么一个实力成渣的南山大王，却成功擒拿唐僧，并且让孙悟空三兄弟灰心失望，痛哭流涕。

一方面，这是因为南山大王麾下小妖铁背苍狼怪非常聪明，以分瓣梅花计调虎离山，把孙悟空三兄弟全都骗走，使唐僧孤立无援，于是被妖怪轻松擒拿。

另一方面，却是因为唐僧师徒之间、孙悟空三兄弟之间起了猜忌之心，他们彼此缺乏信任，才导致魔障重重。

先说唐僧与孙悟空。

在离别灭法国（钦法国）后，唐僧非常高兴，大赞孙悟空有功。师徒欢笑，一路前行。走了没多久，看到前方有一座高山。唐僧一看前方山势险峻，心中顿时不乐。

孙悟空笑道："放心，放心！保你无事！"唐僧却说："休言无事。我看那山峰挺立，远远的有些凶气，暴云飞出，渐觉惊惶，满身麻木，神思不安。"

孙悟空继续笑道："你把乌巢禅师的《多心经》早已忘了？"唐僧说："我记得！"孙悟空说："你虽记得，这有四句颂子，你却忘了哩。"然后，孙悟空口中吟诵："佛在灵山莫远求，灵山只在汝心头。人人有个灵山塔，好向灵山塔下修。"

唐僧听了，慨叹道："徒弟，我岂不知？若依此四句，千经万典，也只是修心。"孙悟空说："不消说了。心净孤明独照，心存万境皆清。但要一片志诚，雷音只在眼下。似你这般恐惧惊惶，神思不安，大道远矣，雷音亦远矣。"

大家看以上对话，是不是觉得很熟悉？没错，类似的对话几乎在唐僧师徒进入每一座山、看到每一座城时都会出现。每次的对话大体上都是唐僧慨叹前途凶险，孙悟空批评唐僧心境太差，一切有他即可安心。

其实，唐僧的担忧有错吗？

根本就没有错。几乎每一次唐僧慨叹前途凶险后，必定会有妖怪出现。孙悟空说一切有他，可从来都挡不住妖怪抓捕唐僧。

虽然唐僧也明白，八十一难皆是局，降妖伏魔一场戏，许多妖怪都是天庭与灵山的仙人，可是身处黑黢黢的魔窟，面对残忍血腥的魔头，面对身旁凌乱的尸体，被剥光待宰的唐僧感受最真切的，除了恐惧还是恐惧。

人生最可怕的事情，不是做了一场噩梦，而是噩梦惊醒后发现还在另一个噩梦中。多次徘徊在生死边缘的遭遇，让唐僧的灵魂也深感恐惧。这种恐惧，是神通广大的孙悟空根本就无法理解的。也正因为孙悟空对敌人的轻视，使得他在面对南山大王时智力下降，不但让唐僧被妖怪掳走，而且多次犯下常识性错误，差点导致唐僧真的丧命。

再说孙悟空与猪八戒。

在真假美猴王事件后，孙悟空与猪八戒之间的矛盾成为取经团队中的主要矛盾。打压猪八戒是孙悟空刷存在感的重要方式。

唐僧见前方风雾重重，心中不安。孙悟空跳上半空，见到前方有妖怪做法。此时，他本该冲上前去，一顿棍棒打死妖精。如此，隐雾山将一路坦途。

可是，孙悟空心中想："我且回去，照顾猪八戒照顾，教他来先与这妖精见一仗。若是八戒有本事，打倒这妖，算他一功；若无手段，被这妖拿去，等我再去救他，才好出名。"

沙僧加入队伍后，三兄弟早就做好了分工。孙悟空曾说："老孙只管师父好歹，你与沙僧，专管行李马匹。但若怠慢了些儿，孤拐上先是一顿粗棍！"

降妖伏魔本是孙悟空的责任，猪八戒与沙僧则轮流负责行李与马匹——在取经前期，基本上是猪八戒挑担；在取经后期，沙僧也多次挑担。孙悟空却偏爱拉上猪八戒，让他去巡山，逼他去降妖。猪八戒也是天性怠惰，总想着出点小力气就占大便宜，结果多次被孙悟空引诱。

这一次，孙悟空同样是用欺骗的方式诱骗猪八戒。他说："前面不远，乃是一庄村。村上人家好善，蒸的白米干饭，白面馍馍斋僧哩。这些雾，想是那些人家蒸笼之气，也是积善之应。"

猪八戒食肠宽大，最是贪吃，一听有白面馍馍，顿时心花怒放，不辨真假。他想头一个去吃斋，却碍着师父面子，于是也撒了个谎："幸如今风雾明净，你们且略坐坐，等我去寻些嫩草儿，先喂喂马，然后再往那家子化斋去罢。"

猪八戒以打草为名，离开了队伍。等待他的，不是什么白面馍馍，而是三五十个妖精。

孙悟空欺骗了猪八戒，猪八戒又欺骗了唐僧。一个是为了抬高身价，一个是为了口腹之欲。总之，兄弟之间，师徒之间，欺骗流行，信任不再。

那么，沙僧呢？他的表现又如何呢？他的表现也不咋的。

孙悟空想着猪八戒，不禁失声冷笑。一旁的沙僧询问：“哥哥冷笑，何也？”孙悟空也不瞒他，把事情原委讲了，然后说：“若是一顿钯打退妖精，你看他得胜而回，争嚷功果；若战他不过，被他拿去，却是我的晦气，背前面后，不知骂了多少弼马温哩。”

按照常理，孙悟空与猪八戒同门多年，当感情深重。即便有些摩擦，在师弟可能遇难时，也当关心一二。可孙悟空心中挂念的，并非猪八戒的安危，而是猪八戒有没有在背后骂他。

孙悟空让沙僧别声张，怕万一被唐僧知道，少不了一顿埋怨。然后他拔根毫毛变成自己，真身飞出。那沙僧明知孙悟空骗了猪八戒，也明知猪八戒可能陷入危局，却依然选择了沉默。他加入取经团队，一直奉行明哲保身，不求有功，但求无过的处事原则。

后来，猪八戒回归。虽然他最后击退了妖怪，但是被群妖围攻多时，也狼狈不堪。唐僧关心地询问：“八戒，你去打马草的，怎么这般狼狈回来？想是山上人家有人看护，不容你打草么？”

猪八戒一听，立刻坐在地上，捶胸顿足大哭起来。他一边承认自己撒谎，一边痛斥大师兄骗他有斋饭，以至于自己被群妖围困云云。猪八戒说：“若不是师兄的哭丧棒相助，我也莫想得脱罗网回来也！”

孙悟空立刻说：“这呆子胡说！你若做了贼，就攀上一牢人。是我在这里看着师父，何曾侧离？”

唐僧表示，孙悟空确实没有离开。猪八戒吵嚷着说孙悟空精通变化，肯定有了替身。知道一切的沙僧，在一旁看着两位师兄争吵不休，继续沉默。沙僧这个人，表面上看起来公平公正，其实骨子里是冷漠、是无情。

正因为师徒之间、三兄弟之间彼此不信任，才让妖怪有了可乘之机。

我们再看豹子精挑出三个会变化的小妖，变成豹子精模样，施行分瓣梅花计时的情况。

唐僧师徒行走间，见路边跳出一个豹子精，孙悟空让猪八戒迎战。猪八戒走了不久，又跳出一个豹子精。孙悟空说："师父！不好了！八戒的眼拙，放那妖精来拿你了。"孙悟空去迎战此妖。转过山背，又跳出一个豹子精。沙僧说："师父！大哥与二哥的眼都花了，把妖精放将来拿你了！"然后，他也与妖精斗在一处。

什么叫作"把妖精放将来拿你了"？这不仅是说猪八戒、孙悟空眼神不行，而且是说猪八戒、孙悟空用心狠毒，伙同妖怪共同谋害师父唐僧。

三兄弟之间，彼此猜忌竟然到如此地步，怎不让人心寒？怎能保护唐僧？

第九节　悟空胆怯

南山大王豹子精的战斗力很低，至多不过是和普通状态下的猪八戒持平。这种水平的妖怪，在孙悟空手上顶破天也走不过十个回合。可是，在混入连环洞、随时可以取妖王性命的时候，孙悟空每一次都主动放弃了。其言行举止，颇多奇怪之处。

南山大王两次用假人头欺骗孙悟空。孙悟空与猪八戒、沙僧虽然都哭得稀里哗啦，但在内心中谁也不相信唐僧真的死了。要知道唐僧可是金蝉子转世，身边更有三十九位护法神保护，怎么可能那么轻易死掉？

只是，世间所有事情又都非一成不变。在定数之中，依然有极少的变数。这个变数虽然微小，却极有可能扭转整个命运之轮。

为了亲眼见证，孙悟空变成一只会飞的蚂蚁混入妖洞。在后院的大树下，他见到了被捆绑的唐僧。

此时，唐僧又是欢喜，又是悲伤，他流着泪说："悟空，你来了？快救我一救！悟空，悟空！"

唐僧饱经磨难，对这种性命由人不由己的悲催生活无比痛恨，巴不得早一点跳出魔窟。孙悟空本可以救出唐僧，从后门轻松溜走，他却说："你既有命，我可救得你。师父放心，且再熬熬儿，等我把那妖精弄倒，方好来解救。"

孙悟空以先打死妖怪为由，不肯先救唐僧。

单从此处看，孙悟空的担心貌似有道理：唐僧是凡人一枚，在逃跑途中若是遇上了群妖，免不了成为拖累。不过，若我们仔细一想，就会明白孙悟空的理由很荒唐，根本就不成立：孙悟空几个回合就可以打死老妖，随便一棒就可以打死许多小妖，有如此强大神通的孙悟空怎么可能保护不了唐僧呢？

更何况，孙悟空从后洞中进入时书中明确提到，连环洞中群妖不过一二百，此时都聚集在前洞，以提防孙悟空、猪八戒打破洞门。后洞的防守极为空虚，只有一个小妖在晒人肉干。

孙悟空不救唐僧的真正原因是什么呢？

所谓“八十一难皆是局，降妖伏魔一场戏”，孙悟空还没有猜到这南山大王背后的主人是谁。在一切缘由没有摸清的情况下，孙悟空擅自救出唐僧是非常不明智的。

孙悟空见妖王在床上辗转反侧，难以入眠，他并不挥棒，而是扔出两个瞌睡虫，让南山大王沉沉睡去。

此时，孙悟空想怎么整治南山大王都行，一棒打死他最是干脆。但孙悟空偏偏选择了最荒唐的应对方法。

他显出本相，跑到后院高叫：“师父！”唐僧听了忙答应说：“徒弟，快来解解绳儿，绑坏我了。”此时，妖怪都已经被迷晕过去了，孙悟空却说：“师父不要忙，等我打杀妖精，再来解你。”

等孙悟空跑回中堂，见到沉睡的妖怪，挥棒要打时，却又自言自语道：“不好！等解了师父来打。”跑到后院，见到唐僧，孙悟空又自言自语道：“等打了来救！”

原文说：“如此者两三番，却才跳跳舞舞的到园里。”然后孙悟空才将绳解了，挽着师父就走。

孙悟空为何两三番抽风一般跑前跑后呢？他在等人。

南山大王本领低微，孙悟空轻松一棒就可以将其打死。只是，打死妖精容易，得罪了妖精的主人就糟糕了，破坏了妖精主人和如来的约定，那就更糟糕了。

孙悟空跑前跑后时，心中必然在想：怎么妖精的主人还不出现呢？再不来我可就开打了。取经一路走到此处，孙悟空早就由当初那个莽撞冲动的美猴王，变成了瞻前顾后的心机猴。

他最后决定，先救唐僧，至于打杀妖精的事情，再等等，再等等。

等到唐僧已经被救出妖洞，由猪八戒、沙僧看管，孙悟空再度入洞，见到南山大王竟然还在睡觉——此妖法力低微到如此地步，对两个瞌睡虫都无法抵抗，其实力也就是巨灵神、药叉将的水平。

此时，孙悟空依然不挥棒。他拿出绑唐僧的绳索，把南山大王绑了起来，再用金箍棒穿了绳索背在背上，辛辛苦苦地把妖王扛出妖洞。到了洞外，猪八戒要打死妖王。孙悟空劝阻说："且住！洞里还有小妖怪，未拿哩。"

之后，猪八戒与孙悟空找寻些干柴，送入妖洞后门中点起火来。可怜妖洞前门早已堵死，后洞又烈火熊熊，一二百小妖全部都被烧死。这把大火至少烧了一两个时辰。一直等到所有小妖都被烧死，孙悟空还不肯杀死妖王。

后来，一旁的唐僧尖叫起来："徒弟，妖精醒了！"号称南山大王的艾叶花皮豹子精在迷糊中醒来，满眼恐惧地挣扎不休。孙悟空最终才下了决心：可以打死了。

从孙悟空、猪八戒一行人与南山大王交锋至此，前后足足一天。从南山大王被孙悟空抓捕算起，此时也已有两个时辰了。即便是妖精的主人住得再远，也应该赶到了。

到小妖已被杀尽之时主人还不出现，意味着有两种可能：一是南山大王没有主人；二是南山大王的主人决定将其舍弃。

无论是两种之中的哪一种，对孙悟空来说都一样：这号称南山大王的豹子精可以去死了。

一旁的猪八戒见到唐僧呼喊，早就抄起了钉钯。这种便宜头功，猪八戒怎么会不抢？猪八戒看看孙悟空，见大师兄微微点头，他大喜，冲上前去，一钯子就把妖怪筑死了。

第十节　南山背后

与在连环洞中类似，孙悟空犹豫徘徊、不敢打死妖精的现象，早在七绝山时就已经出现。

当时猪八戒看得明白，孙悟空的武艺高出蟒蛇精太多，金箍棒招招不离蟒蛇精要害。但奇怪的是，从天刚黑打到第二天天亮，孙悟空也没有把蟒蛇精打死。

其实，绝非蟒蛇精有多么强大。那蟒蛇精没有修成人形，还不会说话，连阳光都害怕，这样糟糕的身手怎么和孙悟空打斗？

关键是孙悟空担心蟒蛇精背后有人。

孙悟空的担心并非没有道理。七绝山距离小雷音寺极近。从归属上来说，小雷音寺与七绝山都属于小西天地界，而小西天乃是东来佛祖弥勒佛的地盘。若说弥勒佛全然不知蟒蛇精的存在，打死孙悟空，孙悟空也不会相信。

那么，这隐雾山连环洞中的豹子精，背后究竟是谁呢？

豹子精的神通虽然低微，但其主人一定是个大人物。何以见得呢？

其一，豹子精狂妄至极。

豹子精外号叫作“南山大王”。这个外号绝对是西游世界万千群妖中牛气冲天的存在。南山，即终南山，乃是道家神话中天下第一洞天福地，自开天辟地之初就已经存在。号称南山大王，就仿佛自命为三界第一仙。

正因为如此，孙悟空乍听到豹子精口称“南山大王”时，不由暴跳如雷说：“你能有多少的年纪，敢称‘南山’二字？李老君乃开天辟地之祖，尚坐于太清（原文有误，当是玉清）之右；佛如来是治世之尊，还坐于大鹏雕之下；孔圣人是儒教之尊，亦仅呼为‘夫子’。你这个孽畜，敢称甚么南山大王。”

只是，在痛斥一番之后，孙悟空也会深思：这豹子精胆敢自称南山大王，究竟是愚昧无知，还是背景通天呢？

若是前者，也就罢了，豹子精武艺平平，孙悟空随时可以取其首级；若是后者，那可就难办了。

豹子精盘踞的连环洞，处于隐雾山。隐雾山在灭法国的西方大路上，和“南山”没有一毛钱关系。豹子精的外号必定另有所指，可能就是暗示其背后主人。

其二，数百年放荡于此。

豹子精在自称南山大王的同时，还说了一句“数百年放荡于此”。这句话也耐人寻味。所谓“放荡”，就是放纵，无人管束，自由自在。也就是说，豹子精占据连环洞，吃过往路人的行为已经存在了几百年。为何管辖西牛贺洲的如来放纵豹子精吃人几百年呢？

再者，灭法国国土宽广，只有一个本领低微的豹子精，为何周边国家的妖王，比如东面无底洞中的金鼻白毛老鼠精，西面玉华州豹头山虎口洞的黄狮精都不来抢夺灭法国地盘呢？

唯一的理由就是，大家都知道，豹子精虽然本领低微，可是背景通天，谁也不敢得罪。因此，只会喷风嗳雾的豹子精才能在隐雾山生存几百年。

其三，不守游戏规则，真心想吃唐僧。

和取经路上的所有妖王都不同，号称南山大王的豹子精是真心想吃唐僧。他早就听说吃唐僧肉可以得长生，只是苦于孙悟空三兄弟太厉害。等铁背苍狼施展分瓣梅花计成功抓捕唐僧后，豹子精大喜，当即就想吃掉唐僧。

豹子精下令：“你可把唐僧拿来，着小的们挑水刷锅，搬柴烧火，把他蒸一蒸。我和你都吃他一块肉，以图延寿长生也。”

还是铁背苍狼提出，此时吃唐僧风险太大，搞不好刚吃完唐僧肉，就被孙悟空打死，那不白瞎了唐僧肉吗？在这样的情况下，豹子精才暂时不吃唐僧肉。但是，豹子精心中从来没有想过放过唐僧。他抓捕唐僧，更不是演戏。

当孙悟空三兄弟看到从妖洞中扔出的人头，登时就懵了。孙悟空万万没有想到，竟然有妖怪真的敢吃掉唐僧。当时，猴哥必定在想：这南山大王竟然敢把佛祖的二弟子金蝉子吃掉，竟然敢破坏如来的取经计划，这不遵守游戏规则的南山大王到底是谁？

其四，妖洞距离灭法国都城太近。

豹子精的连环洞距离灭法国都城有多近呢？唐僧师徒在早朝时拜见灭法国王之后，灭法国王也没有留饭，直接摆銮驾将他们送出城去。师徒四人一边赶路，一边聊天，没走几步，就到了隐雾山。

孙悟空骗猪八戒前方有人斋僧，猪八戒说："我肚里有些饥了，先要去吃些儿，不知如何？"大伙儿早饭也没吃，赶到隐雾山时，连猪八戒都不过是肚子里略微有些饿，足见路途并不长。

事实上，一直到后来唐僧被抓，孙悟空等人被假人头骗，再到后来孙悟空火烧妖洞，擒拿妖王，都还在当天上午。再再后来，唐僧师徒与樵夫下山，在樵夫家中吃了中饭。吃完饭，唐僧师徒又继续赶路。

书中虽然没有明写，但隐雾山明显距离都城极近，可能就是一二十里的样子。为何距离都城这么近就有妖精吃人，而灭法国都城内却祥和一片，甚至没有一个人提起妖精、害怕妖精呢？

这其中，必有秘密。

要想明白这谜团，就要弄清楚南山大王的背后究竟是谁。

有句话说得好，这个世界没有无缘无故的恨，也没有无缘无故的爱。任何一个妖王登场都不是偶然。西游世界中大多数妖怪都有明确的出身来历，剩下的那些妖怪乍一看好像草根妖怪，但细细琢磨，却没有一个是纯草根。孙悟空、猪八戒自不必说，都是背景通天的主，黑熊精、白骨精、蟒蛇精等背后都有高层身影。

其实，这也难怪。修仙之路乃是与天争命，何其坎坷。就算是号称"神仙之宗"的福、禄、寿三星，每天也要炼丹打坐，苦苦修习。被仙人歧视的妖修要想出头，实在是千难万难。

在取经行动中登场的妖王，主要来自三方势力：一是西牛贺洲本土势力，即灵山佛派；二是仙界官方势力，主要是玉帝麾下；三是仙界宗派（江湖）势力，主要是太上老君麾下。

三方势力中，谁可能是南山大王的后台呢？

要想弄清楚这点，首先要把南山大王这个妖精放在灭法国这个大环境中来考虑。灭法国王以杀戮和尚为乐，所以这妖精明显不是佛派仙人。从观音化身提醒可知，这灭法国王大有来历，前身必定是仙界中人。

那太上老君与玉帝，哪一位对佛派极为仇视，恨不得公然杀戮呢？

是太上老君吗？

西游世界中，是太上老君“化胡为佛”开创了佛派。可是，当下主持佛派的如来正大力清除太上老君势力，排挤燃灯等前辈古佛。按照常理，太上老君当极度仇视佛派，痛恨如来。

但是，高人心思岂能以常理度之？

取经团队所走的路线，大都是经过信奉道法的国度。换言之，那些国家的君王与百姓本都是太上老君的信徒。但是，若非太上老君主动放弃，并且多次派出太白金星或值日功曹通风报信，孙悟空根本不可能取得一次又一次的胜利。也就是说，取经团队的成功是太上老君暗中妥协的结果。

太上老君为何要妥协，让出诸多地盘，放弃诸多门徒呢？只因他在搞投资。他把以前零散的资本全部聚拢起来，投在了孙悟空一个人身上。

取经路上的诸多国家，在唐僧师徒四人经过后，与其说是信奉佛派，不如说是信奉唐僧师徒；与其说是信奉唐僧师徒，不如说是信奉孙悟空。在成佛之后，孙悟空将拥有更强大的香火之力。别说是菩萨，就算是多数的佛，也远不如孙悟空信徒多、香火足。

而孙悟空也将在很长的一段时间里，根本没有办法跳出太上老君的手掌心。

当初孙悟空出师时，菩提祖师（即太上老君）说："凭你怎么惹祸行凶，却不许说是我的徒弟。你说出半个字来，我就知之。把你这猢狲剥皮锉骨，将神魂贬在九幽之处，教你万劫不得翻身。"

菩提祖师为何有如此自信，可以心念一动就灭杀孙悟空呢？八成是因为他所传的天仙诀中隐藏有强大的禁制。这禁制存在于孙悟空神魂之中，基本无法摆脱。只要孙悟空有叛逆举动，菩提祖师挥手间就可以灭杀孙悟空。

那玉帝呢？

玉帝已经昭告三界，公开支持佛派的取经行动。为此，他派出六丁六甲、值日功曹帮助取经团队。他还答应观音，给予取经团队（孙悟空）"叫天天应，叫地地灵"的特权。为了表示对佛派的支持，玉帝还在披香殿搞出三桩誓愿，逼得凤仙郡官员百姓不得不信奉佛法。

但是，玉帝是真心希望佛法大昌、佛派兴盛吗？当然不是。

玉帝当初扶持如来，只不过是想让佛派与道派对抗，让如来与太上老君对抗，然后坐收渔翁之利。支持取经行动，不过是玉帝的制衡之术罢了。因此，一手扶持，一手打压，才是玉帝对待佛派，对待如来的真正心意。

为了掌控佛派，破坏取经行动，玉帝暗中做了许多小动作。

比如，玉帝放奎木狼下界，通过白骨精散播“吃唐僧肉可得长生”的谣言。这个谣言使得各路妖魔蠢蠢欲动，出现了许多变数，几乎给取经团队带来灭顶之灾。

比如，派出蝎子精刺杀如来，最后又由昴日星官将其灭口。

比如，玉帝在金平府派三个犀牛精假扮佛祖吃灯油，在灵山脚下公然抹黑佛派、佛祖的名声。

由此可见，这灭法国王与南山大王应当是玉帝的手下。

那为何在南山大王面临生命危险之际，玉帝不出面营救呢？

有两个原因。

其一，南山大王下界几百年，依然法力低微，神通平平，缺乏营救的价值。这点就如同当初弥勒佛没有救蟒蛇精一样。师父领进门，修行在个人。别以为主人强大，仆从就可以无法无天。凡事总要让双方都获利才行。若是仆从不能够完美地完成主人交付的任务，那么主人自然弃之如敝屣。

其二，玉帝爱惜名声，心中也不想去救。玉帝派出的几拨人马，干的都是见不得光的活。一旦曝光，难免有损玉帝的名声。为此，执行这些任务的仙人就只能自生自灭。因此，蝎子精有难时，玉帝没有救；犀牛精有难时，玉帝没有救；黄袍怪有难时，玉帝还是没有救；南山大王有难时，玉帝依然没有救。

那南山大王执行的任务是什么呢？

灭法国王以杀僧为名，阻挡东方僧人到西方求法。南山大王在隐雾山吃过往行人，其实是在阻挡西方僧人前往东方传法。两位的任务其实是一样的，都是阻止佛法传播。他们就如两颗钉子，钉在东西方交流的要道上。鉴于这两颗钉子是玉帝埋下的，如来与观音不能出面去拔，于是只能由孙悟空这个太上老君门人去拔掉。

作为帝王，号称南面称尊。三界之主玉帝其实才是真正的南山大王。

第十一节　悟空求雨

凤仙郡三年大旱，郡侯心急如焚，张榜求贤，招募法师求雨。

唐僧说："徒弟们，且休闲讲。那个会求雨，与他求一场甘雨，以济民瘼，此乃万善之事；如不会，就行，莫误了走路。"孙悟空回答："祈雨有甚难事！我老孙翻江搅海，换斗移星，踢天弄井，吐雾喷云，担山赶月，唤雨呼风，那一件儿不是幼年耍子的勾当！何为稀罕！"

照孙悟空如此说，他自然是会求雨的。事实是什么呢？孙悟空根本就不会求雨，他只是爱吹牛的毛病又犯了。

我们看孙悟空是如何求雨的。

孙悟空让郡侯陪着唐僧说话喝茶，然后拉着猪八戒和沙僧来到堂下空处。孙悟空吩咐猪八戒和沙僧一左一右为自己护法，自己念动真言，唤来东海龙王敖广。然后，孙悟空的真身飞上天空，告诉敖广凤仙郡如何三年大旱，他要代凤仙郡官员、百姓问问敖广，为何一直不来下雨。

在孙悟空看来，敖广乃是司雨的龙神，凤仙郡大旱八成是凤仙郡的官员、百姓得罪了敖广。以他齐天大圣孙悟空的面子，只要开口，敖广肯定要听从。让龙神下点雨，还不是轻而易举的事情。

敖广却连忙禀告说："启上大圣得知，我虽能行雨，乃上天遣用之辈。上天不差，岂敢擅自来此行雨？"敖广说的是实话，天下诸仙各有职司，敖广虽然有能力兴云布雨，但也属天庭水德星君管辖。没有玉帝的旨意、水德星君的教令，敖广确实不敢随便下雨。

几年前，朱紫国王病重时，孙悟空请敖广来降雨。因为当时只是给国王找点无根水做药引子，于是敖广打了几个喷嚏，在皇宫大内小小的范围内下了一场细雨。那雨有多小呢？三宫六院所有妃嫔、宫女、太监全部把能装水的器具拿出来装雨水，汇总起来才得了三盏（杯）。正因为雨小，再加上朱紫国王也没犯什么大错，敖广下点小雨，玉帝才没有责罚。

可是，孙悟空没有丝毫律法观念，他只是认为敖广在借故推托，有点生敖广的气。敖广不愧是修行了几万年的老龙，官场经验丰富，立刻想到了一个既不违背天条，也不伤害孙悟空颜面的法子——孙悟空上天去请玉帝下旨，同时敖广立刻回家带上其他龙神，拿来下雨的法宝，待天庭旨意一到，他立刻就可以下雨。孙悟空无奈，只能答应。

在《西游记》中有一个妖仙真正会求雨，此人是车迟国虎力大仙。

我们且看虎力大仙是如何求雨的：虎力大仙走上高台，一旁有个小道士拿来几张符纸、一口宝剑。虎力大仙接过宝剑，念动真言，将符纸在蜡烛上烧了。之后，两三个道士送来一道文书，虎力大仙一边念咒，一边点燃。忽然间，只听见前面供桌上第一枚令牌“嘭”一声巨响，接着，半空中有悠悠的风吹来。

猪八戒嚷嚷不好了，不好了。孙悟空明白妖怪真有几分本事，于是拔了毫毛变成自己站在地上，真身飞上半空。在空中，孙悟空看到了天庭风部二仙人——风婆婆和巽二郎。孙悟空大怒，怒斥二人不帮自己帮妖怪，拔出金箍棒就要撒泼。风婆婆和巽二郎急忙停止刮风。

下面那虎力大仙再烧第二道文书，响第二枚令牌，这时候半空中云雾遮满。孙悟空又跳出来行凶；推云童子、布雾郎君也急忙停止施法。

虎力大仙又烧第三道文书，响第三枚令牌，邓天君领着雷公、电母立刻从南天门飞出。邓天君和孙悟空算是老交情，孙悟空忍着怒气解说了一遍，询问诸位仙人为何来得如此整齐，为何要听妖怪的号令。

邓天君解释说：“那道士五雷法是个真的。他发了文书，烧了文檄，惊动玉帝，玉帝掷下旨意，径至九天应元雷声普化天尊府下。我等奉旨前来，助雷电下雨。”

这时，虎力大仙急忙烧第四道文书，响第四枚令牌，东海龙王敖广等人又立刻赶到。他们也被孙悟空劝阻了下来。

也就是说，真正的求雨应当是像虎力大仙一样，以五雷仙法烧文书，表奏玉帝。玉帝同意后，下旨让九天应元雷声普化天尊执行，再由普化天尊派出四部仙人具体执行下雨任务。

整个求雨过程，就是一个烦琐而严谨的审批报告过程，中间环节一步不能少，一步不能错，否则就有违天条。当初那泾河龙王，不就因为公开违背玉帝旨意中的下雨点数而被斩首了吗？

那么，孙悟空为何斗败了虎力大仙，成功求来雨呢？

有两个原因。

其一，孙悟空神通广大，实力远在四部仙人之上。

孙悟空修成了天仙，大闹了三界，虽然被压在五行山下五百年，但毕竟当初还是齐天大圣。齐天大圣虽然是个虚名，却也是实力的象征。

所谓东海龙王，不过是水德星君麾下小仙之一。而水德星君也不过是九曜星之一。孙悟空与九曜关系最为亲密，尤其是和太白金星。也就是说，东海龙王的顶头上司不过才和孙悟空兄弟相称。东海龙王若非孙悟空的老邻居，根本高攀不上猴哥。

其二，孙悟空是取经团队成员之一，一言一行都代表取经团队。而取经团队的背后是如来与观音，再上一层则是玉帝。

也就是说，东海龙王、邓天君等人之所以会乖乖听孙悟空指挥，一方面是怕孙悟空撒泼行凶，另一方面也是更重要的，是因为孙悟空代表了高层的利益。于是，在代表高层的孙悟空与草根出身的虎力大仙之间，东海龙王等仙人毫无疑问地选择了孙悟空。

但是，凤仙郡求雨的情况并不一样。

东海龙王其实知道凤仙郡为何大旱三年，但他只字未提。只因他官卑职小，不敢妄言天机。等到孙悟空上天后才明白，凤仙郡郡侯得罪的人竟然是三界之中最不该得罪的人——代表上天的玉帝。

第十二节　凤仙郡大旱

凤仙郡三年大旱为了啥?

这貌似很简单的问题，在书中随便翻翻，就可以找到答案——

凤仙郡的郡侯在三年前的十二月二十五日，玉帝巡游天下的关键日子，和妻子吵架。吵架也就罢了，郡侯一怒之下竟然把祭祀上天（玉帝）的供桌给掀翻了。掀翻供桌也还罢了，郡侯竟然唤出一条狗把泼洒在地上的供品给吃了。然后，这郡侯口中还不干不净，骂骂咧咧，说了很多狂妄欺天的话。

正因为如此，玉帝大怒。郡侯是代表凤仙郡祈福，既然郡侯对上天无礼，那全凤仙郡百姓都要承担罪责。于是，三年大旱，凤仙郡寸雨未下，三分之二的老百姓饥渴而死。

但凤仙郡大旱三年的原因真的如此简单吗？绝非如此。

我们看三年大旱的问题是如何解决的。

孙悟空来到天庭，祈求玉帝降雨。玉帝说明原因，表示只要达成三件事就能下雨：其一，一只拳头大的小鸡，把一座十丈高的米山吃完；其二，一只小小的哈巴狗，把一座十丈高的面山吃完；其三，一盏明灯，把一个有指头粗细的黄金大锁锁链烧断。

孙悟空听闻，“大惊失色，再不敢启奏。走出殿，满面含羞”。

孙悟空为何满面羞愧，不敢再见玉帝？因为在他看来，这三件事都是绝对不可能完成的事。孙悟空虽然是齐天大圣，在三界广有人脉，但是也看对谁。取经越是到后来，孙悟空越是明白玉帝身份尊贵，能量无边。既然玉帝不肯放过凤仙郡人，他小小一个孙猴子也无力逆天行事。

但是，当孙悟空准备离开的时候，四大天师却笑呵呵告诉他，要想达成这三件事也简单，原文说：“若有一念善慈，惊动上天，那米、面山即时就倒，锁梃即时就断。你去劝他归善，福自来矣。”

孙悟空聪明绝顶，立刻明白了此话的深意。他是怎么理解所谓“归善”的呢？

回到凤仙郡，孙悟空交代凤仙郡郡侯：“你若回心向善，趁早儿念佛看经，我还替你作为；汝若仍前不改，我亦不能解释，不久天即诛之，性命不能保矣。”郡侯听了，立刻发动全城男女老少人人念佛，个个看经，全城一片诵念之声。然后孙悟空再度上天，这时仙人就告诉他，一切已好，可以下雨了。

果然，那披香殿中米山面山眨眼就被吃光，黄金锁链立刻就被烧断。玉帝大喜，传旨凤仙郡下雨三尺零四十二点。

大家发现哪儿有问题了吗？

凤仙郡郡侯得罪的是玉帝，为何郡侯带领百姓“念佛看经”就解决了难题？

并且，当孙悟空第二次上天时，护国天王和四大天师就告诉孙悟空不必去见玉帝了，直接去九天应元普化天尊处调遣四部仙人，前往凤仙郡准备下雨就可以了。

也就是说，在玉帝还没有表态前，天庭的四大天王、四大天师等人都已经知道，凤仙郡人只要念佛，皈依佛派，就可以求得甘霖。

原因只有一个，所谓凤仙郡三年大旱，乃是早就设定好的一个局。至于为何设局，又如何破局，内部人员早就知道。

那么，究竟是谁设定的这个局呢？

玉帝必然参与，他不但是主演，而且是导演。不过，还有一个没有现身的人，即如来，他的身份应当是编剧。

如来与凤仙郡大旱三年有什么关系呢？

凤仙郡在哪儿？凤仙郡是天竺国的外郡，灵山就在天竺国境内。也就是说，凤仙郡就等于西方佛派的自留地。

可是在凤仙郡中有多少官员、百姓信奉佛派呢？很遗憾，几乎没有。

在书中提到了郡侯求雨的招贤榜，人家寻求的是能呼风唤雨的大法师。在《西游记》中，唐僧师徒走了许多国家，有不少国家都遭遇了干旱问题，比如乌鸡国、车迟国。国王招贤时，是谁解决的干旱难题呢？毫无例外，都是道士。

道派讲究现世功效，许多人间道士都能驱神役鬼，呼风唤雨。佛派讲究转世轮回，今生不幸，但只要念佛，转世就可寻求来世。说到求雨降妖，在西游世界人间和尚几乎就是无能为力的代名词。

正因为凤仙郡几乎无人信奉佛派，如来才苦心谋划，奏请玉帝配合，演出了这么一场戏。

如来在这个局中，又扮演了什么角色呢?

很遗憾，他老人家扮演的是一个不太好的角色。

玉帝高居大罗天，在每天的深夜时分（人间的十二月二十五日）都要下界巡游一次。既然来到了人间，就要受到人间世界种种规则的限制，比如飞行速度的限制。

四大部洲何其广大，州郡数量以万计。玉帝不可能在一天之间到所有州郡视察。一般情况下，他都是在地方仙人的陪同下，挑选几个地方略微看看，走走过场。

一个合理的猜测就是，如来作为西方佛老，特意陪同玉帝前往凤仙郡检查供桌。刚巧——其实未必是巧合——郡侯与妻子吵架，掀翻供桌，唤狗吃了供品。玉帝有点生气。如来在一旁进言，说郡侯如何如何藐视上天，应当以大旱对其严惩。玉帝立刻明白如来心意，于是当众表态，只要郡侯日后皈依佛派，就免除凤仙郡罪过，恢复下雨。

在审案时，有一个推断凶手的基本原则——谁得利最大，谁最有可能是凶手。

在凤仙郡大旱中，毫无疑问，如来得利最大，因为所有官员百姓全部都成了佛派信徒。反观玉帝，他没有落得什么实际好处，反倒做了一回大恶人：凤仙郡百姓必然在心底痛骂玉帝小肚鸡肠，而感激佛派仙人宽容大量，关爱百姓。小民们眼界一般比较浅，自然看不透玉帝的心思。

玉帝为何卖力帮如来呢?

只因玉帝乃三界之主。在他看来，信仰佛派也好，信仰道派也好，那都是他的子民。甚至那饿死的三分之二凤仙郡百姓，变成鬼魂后依然还是玉帝的子民。

玉帝代表的利益，乃是整个天庭的利益。与之相比，道派与佛派利益都只是局部利益。

既然眼下太上老君代表的道派成员经常和玉帝作对，那玉帝不妨就扶持如来为首的佛派与之抗衡。只要控制好佛派的高层，佛派在人间势力壮大些也未尝不是件好事。

第十三节　悟空稳健

取经路上，孙悟空一直在成长。比如在处理凤仙郡求雨的问题上，孙悟空就干得非常漂亮。

凤仙郡为何三年大旱？归根结底，在于凤仙郡人不信佛。为了将佛法传播开去，以如来为首的西方佛派费尽心思。而因为凤仙郡人信奉了佛法，凤仙郡最终下了大雨，取经一难顺利度过。

本来，干到这种地步，孙悟空已经算是完成了任务。可是，孙悟空在达成求雨之后还做了一件事。正是这件事情，凸显了孙悟空的成熟与稳健。

是什么事情呢？

在施雨结束后，四部（风、云、雷、雨）仙人就要回去。孙悟空高喊："那四部众神，且暂停云从，待老孙去叫郡侯拜谢列位。列位可拨开云雾，各现真身，与这凡夫亲眼看看，他才信心供奉也。"然后，孙悟空叫来郡侯，召集百姓。在万千民众焚香叩拜之时，四部仙人拨开云雾，显露真身，足足亮相了两个小时。最后，孙悟空跳上云端，向众仙行礼说："有劳，有劳！请列位各归本部。老孙还教郡界中人家，供养高真，遇时节醮谢。列位从此后，五日一风，十日一雨，还来拯救拯救。"群仙人人高兴，各各答应，回去不提。

孙悟空为何要让下雨的四部仙人显露真身呢？因为孙悟空不想凤仙郡变成单一的信仰佛派的地方。

如来自然是希望凤仙郡只是信仰佛派。但是孙悟空出身道门，并且久在天庭，对三界的形势非常了解。以西方佛派的势力，连脚底下的凤仙郡都不信佛，这就证明道派的势力在当地还非常强大。

很多时候，问题的解决并非两个极端——非此即彼，而应当是彼此共存，共谋发展。

换个角度说，就算是玉帝觉得佛派也是由天庭所管辖，但此次前来下雨的群仙可全部是道派出身。对凤仙郡臣民全部都皈依佛派，道派仙人难免有想法。虽然迫于玉帝的压力他们不敢明说，但腹诽是免不了的。

因此，孙悟空特意让四部仙人显露真身，让凤仙郡官员、百姓知道，念佛可以为你们赢得下雨的资格，可下雨还是要靠这些道派的仙人。

于是，凤仙郡在孙悟空的点拨下，成为佛道共存、其乐融融的地方。

对此，如来可能有点不快，玉帝却会非常满意，道派祖师爷太上老君更会满意。孙悟空的一番辛苦，也换来了丰厚的回报。

孙悟空告诉唐僧："事毕民安，可收拾走路矣。"郡侯一听孙悟空要走，急忙挽留，他说："孙老爷说那里话！今此一场，乃无量无边之恩德。下官这里差人办备小宴，奉答厚恩。仍买治民间田地，与老爷起建寺院，立老爷生祠，勒碑刻名，四时享祀。虽刻骨镂心，难报万一，怎么就说走路的话！"

在郡侯看来，谁是取经队伍第一人？谁对凤仙郡贡献最大？

孙悟空。郡侯要如何报答孙悟空呢？他要为孙悟空修建寺庙，修建生祠，刻写碑文，每年四季祭祀供奉。

在西游世界成了真仙真佛之后，都不必吃凡间食物了。那吃什么呢？吃凡间百姓的供奉。比如供奉一牌位，上面写着"齐天大圣、斗战胜佛孙悟空老爷"，下面放着糕点果品。凡间百姓点燃香火，念叨孙悟空名讳时，孙悟空在天界就能听到。孙悟空来到此地空中，就可以享受到凡间百姓的香火。

在唐僧师徒重返通天河陈家庄时，就特别提到猪八戒闻到饭菜的气味就饱了，只勉强吃了一点点。这只因成了真仙真佛后，他们的身体体质完全变化，吸收能量的方式也变化了。

这寺庙、香火对于仙佛来说，可是大有用处。信徒越多，香火越多，仙佛的法力就越大。大家看那玉帝都要到凡间来吸纳香火。而这也是如来辛苦发展佛派力量的原因。

唐僧谦虚说自己没做啥，过一两天就走。但那郡侯哪里管唐僧意见。孙悟空若不发话，唐僧想走也没人搭理。大伙儿于是开开心心地在凤仙郡享受了半个月。

一天，郡侯带着唐僧师徒前往一处，竟然发现半月不见，那地方多出一间壮丽的寺庙。唐僧为其题名为“甘霖普济寺”。郡侯下令召集和尚入住，同时又在大殿左右两侧建造四部仙人雕像。

凤仙郡官员、百姓齐诵：“硕德神僧留普济，齐天大圣广施恩。”孙悟空在完成取经任务的时候，看似随意，就为自己积攒了庞大的信徒。

孙悟空一路走来，出力最多，积攒的信徒也最多。可以说，取经一条线上的国家民众，首先信奉的佛不是如来，不是观音，不是唐僧，而是孙悟空。这也是孙悟空在最后评定功果时能够打破原定规章，在三徒弟中唯一成佛的主要原因。

第十四节　玉华三王子

唐僧师徒离开凤仙郡，来到了玉华州。这玉华州城主乃天竺国王族，号称玉华王。玉华王有三个王子，从小就喜欢舞枪弄棒。在官宦子弟中，这也算寻常。可奇怪的是，在唐僧师徒到来之前，这玉华三王子分别使用的武器就是齐眉棍、九齿钉钯、乌黑的棒子。

要说齐眉棍和棒子，都算是寻常武器，有人使用并不稀奇。但钉钯绝对属于奇门兵器。或许天下使用钉钯的并非猪八戒一人，但也非常罕见。还有一点，这三王子使用兵器的序列，竟然也是老大用棍子，老二用钯子，老三用棒子，和孙悟空、猪八戒、沙僧的序列一模一样。

这是怎么一回事呢？我们看看唐僧师徒来到玉华州后的所见所闻。

刚入玉华州，唐僧慨叹玉华州繁华可比大唐。有个老人告诉唐僧："此王甚贤，专敬僧道，重爱黎民。"街头百姓见到唐僧身后跟着猪八戒，笑呵呵地说："我这里只有降龙伏虎的高僧，不曾见降猪伏猴的和尚。"

在老百姓口中，玉华州是一个敬重佛派，僧侣生存环境较好的地方。而实际上，玉华州百姓虽然有一部分人信奉佛法，但是玉华州的高层，即玉华王对佛派其实并不买账。

哪里有体现呢？

当唐僧来访时，玉华王接见了他，两人聊得还挺好。玉华王要摆宴款待唐僧，筵席安排在哪里呢？原文说："教典膳官请众僧官去暴纱亭吃斋。"

唐僧乃是大唐太宗皇帝的钦差大臣兼御弟，也就是说，他到天竺国即便是见到天竺国王那也是平等身份。在以往经过的多数国家中，国王都是在正殿亲自接待唐僧，并以宰相、太师之流作陪。可是，这玉华王不过是一县之主，竟然让唐僧去个小亭子，随便弄一桌，由典膳官陪同唐僧师徒吃饭。

孙悟空、猪八戒、沙僧三人上殿时，猪八戒好心上前，唱个喏（作揖行礼）道："贫僧问讯了。"却惹得玉华王大怒，当场冷下脸来。

玉华王回到后宫，三个儿子见父亲不高兴，就询问原因。玉华王说：“我留他吃斋，他说有徒弟在府前，我即命请。少时进来，见我不行大礼，打个问讯，我已不快。及抬头看时，一个个丑似妖魔，心中不觉惊骇，故此面容改色。”

在玉华王看来，唐僧来访，他请唐僧吃饭，已经是卖了天大的面子。可是，唐僧的徒弟（猪八戒等人）见了他竟然不行三跪九叩大礼，只是抱拳作揖了事。玉华王觉得猪八戒等人藐视了他，因此很不高兴。等看到猪八戒等人形容丑陋，犹如妖魔，更是害怕，于是才匆匆回宫。

玉华王为何如此托大？

一方面，他觉得自己是王爷，高高在上；另一方面，就是他在心底深处根本就不敬重佛派。

此前，唐僧师徒经历了许多国家，孙悟空、猪八戒、沙僧等人经常是连个喏也不唱，大摇大摆跟在唐僧背后。要知道，他们三人个个都是大有来头的主。这凡间的帝王，在他们三个人看来个个如蝼蚁。猪八戒这次为何会行礼呢？

回到驿站，唐僧责备猪八戒无礼，猪八戒反驳说：“活淘气，活淘气！师父前日教我，见人打个问讯儿是礼。今日打问讯，又说不好，教我怎的干么！”猪八戒还觉得自己做了很大让步，受了委屈呢！

玉华王把当天见闻告诉三个儿子后，三位王子气呼呼地拿起兵器去找猪八戒等人打架。结果，猪八戒三兄弟一亮出本身兵器，就把他们全都震惊了。

孙悟空的金箍棒，猪八戒的九齿钉钯，沙僧的降妖宝杖，那都是三界神兵，挥舞开来都有金光万道、瑞气千条，岂是寻常凡兵可比！

而三位王子的兵器一一对应孙悟空三兄弟的兵器，这是怎么一回事呢？

等看到孙悟空三人腾云驾雾在空中操练兵器，三位王子更是佩服得五体投地，当即决定要拜三人为师。

依照孙悟空以往的脾气，他是绝不肯轻易收徒的。像花果山虽有猴兵四万七千，但没有一个猴子得到孙悟空的真传。这玉华州的大王子何德何能，竟然一开口孙悟空就答应收他为徒呢？而且他还对玉华王说："我等出家人，巴不得要传几个徒弟。你令郎既有从善之心，切不可说起分毫之利，但只以情相处，足为爱也。"按照这话，只要人家肯拜师，孙悟空就肯收徒。

事情有这么简单吗？

后来，因为三位王子都是凡人，使不动三件神兵，孙悟空把三位王子召集起来，辛辛苦苦施法念咒了一夜，将自己修炼多年的本源真气灌注到三位王子体内，使得三位王子在一夜之间脱胎换骨。第二天起来，大王子就拿得动一万多斤的金箍棒，二王子、三王子也拿得起五千多斤的九齿钉钯和降妖宝杖。

孙悟空为何下这么大血本，耗费真元，迅速提升三位王子实力呢？

原因只有一个。孙悟空已经看出来这三位王子必定是如来、观音选定的拜师之人。

为了把沿途国家变成佛派之地，如来和观音殚精竭虑。玉华州是天竺国下郡，在如来眼皮底下，玉华王竟然不信佛、不崇佛。可怎么改变现状呢？如来和观音找来找去，终于在三位王子身上找到了突破口。

三位王子不是喜欢学武吗？极有可能就是观音或者化身某人，或者托梦指点，传授给三位王子一套粗浅的棍法、钯法、棒法。并且在点化时，观音故意把三位王子的武器弄得和孙悟空、猪八戒、沙僧的武器一模一样。如此一来，三位王子见到真家伙时才会有震撼之感，才会迅速被征服。

而聪明的孙悟空、精明的猪八戒、深沉的沙僧看到三个山寨货，也必然会猜出三位王子背后必定有高人指点。通过这山寨版兵器，观音成功传递了许多信息。

既然三位王子都拜和尚为师了，那么玉华州高层自然会崇奉佛法，皈依佛派了。

在拜师时，孙悟空郑重其事地下跪禀告唐僧说："告尊师，恕弟子之罪。自当年在两界山蒙师父大德救脱弟子，秉教沙门，一向西来，虽不曾重报师恩，却也曾渡水登山，竭尽心力。今来佛国之乡，幸遇贤王三子，投拜我等，欲学武艺。彼既为我等之徒弟，即为我师之徒孙也。谨禀过我师，庶好授受。"

我之前说，孙悟空越到后来越发成熟。孙悟空虽经常批评唐僧心志不坚，动辄思乡，但在大局上还是非常注意分寸。这也是唐僧在后来几乎不听猪八戒谗言，铁了心相信孙悟空的原因。此刻，孙悟空借收徒之机，少有地向唐僧表明心迹。

唐僧和孙悟空、猪八戒、沙僧之间关系其实很复杂。早期，孙悟空、猪八戒、沙僧对唐僧谈不上真心尊重。三兄弟之间最被唐僧打压的是孙悟空，而第一个带头尊重唐僧的还是孙悟空。

可以说，两界山下那一拜，是孙悟空感激唐僧救命之恩，但他对唐僧师父的身份并不认可。如今，他再次下拜，才是真正把唐僧当成了师父。

因为孙悟空明白，即便是到了灵山，斗争依然在继续。他们这取经团队只有拧成一股绳，才能在灵山立足。

第十五节　传功之谜

孙悟空三兄弟禀告完唐僧，大开山门，分别收三位王子为徒弟。

拜师仪式非常正规，各个环节无一遗漏。在三十九位护法神以及玉华州王爷、王妃的共同见证下，三位王子正式拜入唐僧门下，分别成为孙悟空、猪八戒、沙僧在人间的首位弟子。

拜师仪式结束后，进入传功环节。按照江湖规矩，首徒一般都是主事大弟子，最有可能得到师父真传。那么，孙悟空三兄弟都交给大徒弟啥功夫呢？

在收徒与传功的问题上，一贯唱反调的猪八戒与奉行沉默是金的沙僧都态度鲜明地表示：一切都遵从大师兄的意思。大师兄怎么教徒弟，他们也跟着怎么教徒弟。三兄弟在这个问题上态度出奇的一致。

拜师第二天，孙悟空三兄弟把三位王子叫到近前，询问三人想要学什么本领。王子们说："愿使棍的就学棍，惯使钯的就学钯，爱用杖的就学杖。"

孙悟空微笑点头说："教便也容易，只是你等无力量，使不得我们的兵器，恐学之不精，如画虎不成反类狗也。"

作为师父，孙悟空的态度还是严谨的。既然三位徒弟提出学棍、钯、杖，那么就要让他们在棍、钯、杖上的造诣人间无双，否则，岂不是堕了齐天大圣、天蓬元帅、卷帘大将的名头？

要想学到孙悟空三兄弟武学上的真功夫，首先在兵器上就应当与他们一般无二。但是他们的兵器太重，三位凡人王子根本无法驱使。怎么解决这个难题呢？

孙悟空主动提出，当先传授三位王子神力。有了神力，能舞动兵器后，再传使用兵器的法门。孙悟空是怎么传授神力的呢？

原文说："静室之间，画了罡斗；教三人都俯伏在内，一个个瞑目宁神。这里却暗暗念动真言，诵动咒语，将仙气吹入他三人心腹之中……各授得万千之膂力，运添了火候，却像个脱胎换骨之法。"

孙悟空不愧是混元太乙金仙，一夜之后三位凡人王子竟然就脱胎换骨，拥有了惊人神力。三位王子的力气究竟如何呢？

原文说："大王子就拿得金箍棒，二王子就轮得九齿钯，三王子就举得降妖杖。”

只是，拿得起是拿得起，要做到舞动如风、进退如意，三位王子却万万不能。在万般无奈之下，三位王子提出，按照三位师父兵器的样子，重新打造趁手的兵器。

没几天工夫，工匠将兵器打造完毕。大王子使用的金箍棒重一千斤，二王子与三王子的钯子与宝杖各八百斤——在很多地方，作者都刻意让孙悟空或金箍棒高出一头，猪八戒与沙僧或九齿钉钯与降妖宝杖则是同一水平，伯仲难分。

三位王子的力气，在人间别说是凡人，就算是与神仙级别的仙人，与先锋以下的妖兵、妖将相比，也毫不逊色。在传授神力之后，孙悟空三兄弟更把各自的棍法、钯法、杖法倾囊相授。

在唐僧师徒离别时，玉华州三位王子依依惜别，送出很远。他们自以为学到了孙悟空、猪八戒、沙僧三位神师的真本领，其实孙悟空三人传授给三位徒弟的，乃是他们最皮毛的本领。

为什么这么说呢？

以孙悟空为例，他身上最强的本领是什么？是运用金箍棒的棍法吗？根本就不是。

孙悟空当初拜菩提祖师为师，学习了许多本领，其中并无棍法。他的武艺全都是在以后的实战过程中自己摸索、总结出来的。

在杀死混世魔王时，一些猴子担心孙悟空不会带人腾云之法，孙悟空呵呵一笑说：“我如今一窍通，百窍通，我也会弄。”在掌握了修仙的根本大道之后，对于各种仙法的运用，孙悟空只要看一眼，略一思量，就能够复制、演练出来。

那么，什么才是修仙的根本大道呢？

是孙悟空常挂在嘴上的七十二变神通吗？是他最为骄傲的筋斗云吗？

都不是。

在《西游记》车迟国故事中，作者慨叹："点金炼汞成何济，唤雨呼风总是空！"各种法术的运用都是枝节，都是手段，真正能够倚为根本的只有修身与修心。

在孙悟空的各项神通中，最能修身与修心的自然是那上品天仙诀。孙悟空在菩提祖师口授一次天仙诀之后，修炼三年就已经修成神体，达到不生不灭之境。正是因为领悟了这仙诀，孙悟空从身体到内心被完全改造，真正达到脱胎换骨的效果。

同样，猪八戒与沙僧身上最为厉害的本领也不是钯法与杖法，而是他们修仙的主修心法。

可是，他们三人对自己的主修心法只字不提，只是传给徒弟们棍、钯、杖的运用法门。也就是说，玉华州三位王子看起来神力无穷，武艺超群，但依然是凡人一个，百年后这三位都会变成黄土一抔。

孙悟空、猪八戒、沙僧三人为何不传授三位大弟子修仙功法呢？

孙悟空自有道理：学习棍、钯、杖运用之法乃是三位王子主动提出的。既然徒弟只有这个需求，当师父的又何必多事呢？就如同当初孙悟空拜师时一样，若非他一口咬定要学长生之道，菩提祖师也不会传他无上大法。

只是这个理由看似冠冕堂皇，其实是托词。

真正的原因，是孙悟空、猪八戒、沙僧三兄弟都看出玉华州三位王子乃是佛派高层刻意安排给他们的徒弟。

这说得好听是“安排”，其实就是“硬塞”给他们的。若非如此，怎么可能三位王子使用的兵器正好与孙悟空三兄弟一样，依次是棍、钯、杖呢?

对于这种硬性指派的任务，孙悟空三兄弟表面上欣然接受，心中却很是抵触。孙悟空三兄弟神通广大，背景深厚，个个都不甘为人作嫁衣。他们虽然眼下力有不逮，但也不会乖乖顺从。

因此，孙悟空三兄弟谁都没有把玉华州的三位王子当成自己真正的传人。结果，拜师仪式搞得轰轰烈烈，最后传授的却是最一般的本领。

第十六节　八戒失钯

取经路上，孙悟空整天喊猪八戒“呆子”。其实大家都明白，猪八戒一点也不呆，不但不呆，而且简直是聪明绝顶。只是，与斗志高昂、一心降魔的孙悟空大不相同，猪八戒是把全身心都投入偷奸耍滑当中了。

猪八戒遇到难事能躲则躲，遇到功劳能抢则抢；一天到晚把辛苦挂在嘴边，整天埋怨孙悟空坑他；取经路上唯一挂念的就是早点投宿，立刻开饭。

当然，猪八戒如此消极怠工，也是一肚子苦水。那弼马温仗着自己棒子硬些、本领高些，强行独占了最出风头的降妖伏魔任务，而把艰辛却不见功劳的后勤工作分给了猪八戒、沙僧。

再后来，在四圣庄中猪八戒疏于防范，不小心色心暴露，被佛派高层抓到了小辫子。从此之后，无论是在高层中，还是在取经队伍中，猪八戒的形象都已经被定型。老猪就算再怎么努力，在他人眼中依旧是一副色鬼加吃货的丑陋嘴脸。

于是，猪八戒该巡山时去睡觉，该降妖时却逃跑。昔日掌管天河八万水军的天蓬元帅的飒飒雄姿，仿佛已经在风烟中完全消散，再也找不到痕迹。恍惚之间，猪八戒已经完全沦落成一个自私、贪婪、胆小、怯懦的无能鼠辈。

只是这一切绝非猪八戒的全部。猪八戒可以自甘堕落，可以自轻自贱，但他心底深处依然有两道不可触碰的底线。一旦被触及这个底线，猪八戒就会直接暴走。

这两道底线，一个是不能容忍对方变成自己模样，另一个是不能容忍对方污蔑自己的兵器九齿钉钯。

西游世界的诸位仙佛都非常厌恶他人变成自己模样。这点前文已经说过。本文单说说猪八戒对九齿钉钯的特殊感情。

猪八戒对九齿钉钯非常喜爱，并且到了痴迷的地步。他在取经路上一贯藏拙，极少显露真实本领。但若是对方胆敢蔑视他的九齿钉钯，他一定会让对方好看。

云栈洞外，孙悟空大战猪八戒，猪八戒手软筋麻，落败而逃。

在第二次见面时，猪八戒已经低了气势，有些想服软。可是听闻孙悟空嘲笑他的钉钯乃是耕田锄地的家伙，他顿时暴走。

他一股脑儿把九齿钉钯的来历说出，然后恶狠狠地告诉孙悟空："相持取胜有何难，赌斗求功不用说。何怕你铜头铁脑一身钢，钯到魂消神气泄！"

谁料想孙悟空神通实在了得，在运气护体之后，猴哥的脑袋远远超过寻常的铜头铁脑。虽然九齿钉钯呼啸而下，筑到他脑袋上竟然金光四射，但他的脑袋毫无损伤。也正因这件事情，猪八戒对孙悟空心服口服。

在流沙河畔，猪八戒与沙僧大战。猪八戒嘲笑沙僧使的是哭丧杖，沙僧就说猪八戒使的是种菜耙。猪八戒怒极反笑说："我把你少打的泼物！且莫管什么筑菜，只怕荡了一下儿，教你没处贴膏药，九个眼子一齐流血！纵然不死，也是个到老的破伤风！"一番话惹得沙僧大怒，两人再度开战。

在全书中，最直接反映猪八戒对九齿钉钯之热爱的部分，是在玉华州钉钯宴故事中。

因为要给三个徒弟打造兵器，猪八戒不得不把随身多年，睡觉也不离身的九齿钉钯交出。可没想到第二天九齿钉钯就与金箍棒、降妖宝杖一起消失了。

工匠将此事禀告给三位王子。王子们大惊，但又立刻猜想：是不是三位神师把兵器收回去了呢？

三位王子找到唐僧师徒，告知情况。其他人还好，唯独猪八戒立刻暴走。他恶狠狠地说："定是这伙铁匠偷了！快拿出来！略迟了些儿，就都打死，打死！”

那些工匠一听，全部吓得趴伏在地，磕头如捣蒜，解释说：“爷爷！我们连日辛苦，夜间睡着，乃至天明起来，遂不见了。我等乃一概凡人，怎么拿得动？望爷爷饶命！饶命！”

以三位王子的智慧，在第一时间就明白绝不可能是那些凡人工匠偷了神兵。别说金箍棒了，就算是九齿钉钯与降妖宝杖都重达五千零四十八斤。工匠们就算有百十个人，也没法子悄无声息地将神兵运出王府。

以猪八戒的聪明睿智，为何会看不明白这点呢？

事实上猪八戒还真不是在装，他一口咬定是工匠使坏。他说：“定是铁匠欺心，他见我们的兵器光彩，认得是三件宝贝，连夜走出王府，伙些人来，抬的抬，拉的拉，偷出去了！拿过来打呀！打呀！”

眼看再不劝阻，工匠就要死于非命，孙悟空出面拦住猪八戒。他询问老王爷玉华州周边有无妖怪。听闻虎口洞有妖怪，孙悟空大喜说：“不消讲了，定是那方歹人，知道俱是宝贝，一夜偷将去了。”

等到孙悟空探查清楚，三人的兵器果然被虎口洞的黄狮精偷走了。猪八戒立刻要求前去讨要兵器。

三人变成两个小妖与贩猪羊的客商走入妖洞。在后洞见到九齿钉钯时，原文说：“这正是‘物见主，必定取’，那八戒一生是个鲁夯的人，他见了钉钯，那里与他叙什么情节，跑上去拿下来，轮在手中，现了本相。丢了解数，望妖精劈脸就筑。”

其实，猪八戒哪里是粗鲁笨拙之人。他精明时，孙悟空也被他耍得团团转。只是凡事关心则乱，一旦牵涉九齿钉钯，猪八戒的智商往往就会直线下降，进入暴走状态。

猪八戒为何会这么在乎九齿钉钯呢？

因为九齿钉钯在仙界有着非常重要的象征意义。在猪八戒介绍九齿钉钯的诗句中，有这样两句：“名为上宝沁金钯，进与玉皇镇丹阙。”

这九齿钉钯有个响亮的名字，叫作“上宝沁金钯”，并且因其功效卓越，被公认为斗牛宫中的镇宫之宝——降妖宝杖是灵霄殿镇殿之宝，比九齿钉钯要低一个等级。

猪八戒为何能得到这件神兵呢？诗句说：“因我修成大罗仙，为吾养就长生客。敕封元帅号天蓬，钦赐钉钯为御节。”

猪八戒乃是三清正统传人，修成大罗真仙，换言之，出身名门，修为高深。正因如此，他被玉皇大帝亲口赐封为天蓬元帅。

诗句中的“御节”，在各种词典中都简单解释为主管季节，但以此解释此处原文，根本不通。我认为，这个词语当是御赐之节杖的意思，即九齿钉钯相当于代表玉皇大帝的信物（节杖、符节），见钉钯如见玉帝（古代有官职名为御节郎，即手持节杖的郎官）。这一点也和前面诗句说九齿钉钯“镇丹阙”一致。也就是说，若猪八戒返回天庭，凭手中九齿钉钯，就可以调动八万天河水军。九齿钉钯的作用类似于古代的虎符，甚至是尚方宝剑。

即便退一万步说，在猪八戒被贬斥之后，玉帝可能选择新的调兵符，派其他将领管理天河水军，但那九齿钉钯也是猪八戒曾经统领天河八万水军的一个见证。

就如同获得齐天大圣封号是孙悟空平生第一快事一样，得到九齿钉钯则是猪八戒漫长“职业”生涯中最为风光的往事。孙悟空不能容忍别人嘲笑他是弼马温，猪八戒也不能容忍别人贬低他的钉钯。

第十七节　仁义妖王

西游世界中的群妖各有特点，其中住在玉华州附近豹头山虎口洞的黄狮精堪称最为仁义。

黄狮精虽然是妖，却比绝大多数仙人还要仁义，只可惜他一朝贪婪，偷了孙悟空、猪八戒、沙僧的武器，招惹了背景强大的取经团队，从而引来杀身大祸。

为何如此说呢？

孙悟空三兄弟的兵器丢后，孙悟空离开玉华州前往豹头山找寻妖怪踪迹，忽然听到有人说话，孙悟空就变成蝴蝶隐藏形迹。从山背走来两个狼头怪，这两个小妖在《西游记》中也是非常知名，一个叫作刁钻古怪，一个叫作古怪刁钻。

两个小妖边走边聊天，说出他们大王黄狮精得到神兵之事。他们此次出山乃是奉命去玉华州采买猪羊，准备明天召开“钉钯宴”所用。

两个小妖说："我们也有些侥幸：拿这二十两银子买猪羊去，如今到了乾方集上，先吃几壶酒儿，把东西开个花帐儿，落他二三两银子，买件绵衣过寒，却不是好？"

这番话看似寻常，其实颇有深意。

《西游记》中有许多小妖的名字都取得非常奇葩，好玩好记，且多有深意。按照名字，这两个小妖都应当是精明异常的主，事实上恰恰相反。古怪刁钻也好，刁钻古怪也好，既不刁钻，也不古怪。他们两个都是老实巴交且看重情义的妖怪。

他们得到了买猪羊的差事，想着把手中的二十两银子落下二三两，喝点酒，买件衣服。乍一看，或许你会觉得这小妖的确刁钻，的确古怪。这明摆着是占用公款，中饱私囊。

可是，大家不要忘记了，刁钻古怪和古怪刁钻都是妖怪。以他们的神通到附近乡村吓唬一些百姓，掳走一些猪羊，那还不是轻松自如、手到擒来？那样的话，他们不但能把二十两银子全落腰包，一文不花，还可以得到许多外快。

可是，他们根本没想到倚仗妖力作恶。作为在食物链中凌驾于人类之上的妖族精英，这两位想的竟是降低身段和脆弱的人类平等交易。他们所谓的私心，也仅仅是吃得饱一点、穿得暖一点。这无可厚非。

后来，孙悟空用定身法把他们定住。再之后孙悟空三兄弟大闹虎口洞，黄狮精逃跑。孙悟空三兄弟把虎口洞的一百多个妖怪全部打死后才回玉华州。到很晚时候，刁钻古怪和古怪刁钻的定身法时限到了，定身限制自动解除。两人回到虎口洞，见到了狼藉一片。

任谁都明白，虎口洞已遭遇大祸。所谓“树倒猢狲散”，此时不逃跑，更待何时？

当初，孙悟空变成小钻风撒谎吓唬狮驼洞前小妖，一说孙悟空如何厉害，结果呼啦啦一万多小妖就逃跑了。狮驼国大鹏雕刚被如来收走，孙悟空随即到国中解救唐僧，就发现城中上万小妖已逃得精光。

如今，这刁钻古怪和古怪刁钻却都没跑，他们不但不跑，还一直哭着等候黄狮精到来，后来还扛着大旗跟着队伍和孙悟空打斗。再后来，孙悟空请来九灵元圣的主人荡平群妖，两位小妖也在混战之中死去。

这两个小妖一生老实巴交，算得上是重情重义的好妖。他们只因遭遇取经团队，结果成为炮灰。

回到正题再说黄狮精。那黄狮精本是豹头山妖王，按照取经路上所有妖王魔头的生活习惯，若是招待客人，会派人花银子去采买猪、羊吗？绝对不会。波月洞的黄袍怪（二十八宿之一的奎木狼）抓起一个宫女即一口咬断其头。狮驼岭狮驼洞中则到处是尸山血海。在妖怪看来，吃人是天经地义，自古如此。不仅妖怪吃人，就算是神仙下凡，也忍不住大开杀戒吃人。

可是，黄狮精请客竟然不吃人，而是请客人吃猪肉、羊肉。而且身为妖王的黄狮精，有着让万千人类恐惧的强大力量，可是他召开宴会想的竟不是强取豪夺人类的猪、羊，而是花钱去买。这就证明，不仅黄狮精平时不吃人，就连与他来往的六个狮类兄弟，还有祖翁九灵元圣，都是不吃人的。

后来，孙悟空与猪八戒变成刁钻古怪和古怪刁钻，沙僧变成贩卖猪、羊的客商，赶着八头猪、七只羊前往虎口洞。到了洞前，许多小妖上前迎接，帮忙捉猪、捉羊。可见群妖关系和谐。

妖王询问孙悟空变成的小妖，买猪、羊一共花了多少钱。孙悟空撒谎说买猪花了十六两，买羊花了九两，倒欠客商五两银子。孙悟空明显是在虚报账目，可是妖王一挥手，让人拿了五两银子，准备打发客商（沙僧）离开。

一个人类（沙僧变的客商）自己走到妖怪洞中，这妖王不但不把这人留下吃了，还如数发放银两。这种奇葩妖王，在《西游记》中很难找到第二个。

孙悟空有心带着沙僧、猪八戒去后洞查找兵器，于是扯谎说："这客人，一则来找银子，二来要看看嘉会。"妖王担心客商来自玉华州，泄露了自己盗宝的秘密，有点不愿意。

孙悟空说："主公，这个客人，乃乾方集后边的人，去州许远，又不是他城中人也，那里去传说？二则他肚里也饥了，我两个也未曾吃饭。家中有现成酒饭，赏他些吃了，打发他去罢。"孙悟空提出，这客商不是玉华州人，并且人家走累了，怎么着也要留人家吃顿饱饭再走。

见孙悟空如此说，妖王竟然就答应了。如此体贴下属、关心他人的妖王，在西游世界绝对是独一份儿。

这样一位仁义无双的妖王，最后的下场如何呢？

被孙悟空一棒打死了。不但被打死，并且孙悟空吩咐将黄狮精的皮剥了。其他六只狮子也被切成小块，分给了玉华州官员、百姓吃。于是，人人都慨叹唐朝来的和尚厉害，人人都被孙悟空无比的神通征服。

其实，黄狮精该不该死呢？不该死。

黄狮精曾说：“泼狠秃恶！昨日三个敌我一个，我败回去，让你为人罢了；你怎么这般狠恶，烧了我的洞府，损了我的山场，伤了我的眷族！我和你冤仇深如大海！不要走！吃你老爷一铲！”

黄狮精确实不应该偷盗他人财物，这是他有错在先。不过，孙悟空既然已经打上山门，取回了武器，黄狮精又已认输败逃，这番罪过也算是抵消了。可是，孙悟空趁着黄狮精不在，把虎口洞的小妖包括黄狮精的爱妃全部打死，还把洞中黄狮精苦心积攒多年的金银财宝给全部掳走。这就有些过分了。

并且，孙悟空有没有过错呢？

有。这个过错叫作诱导他人犯罪。

当孙悟空来到天庭，把事情告诉看守天门的广目天王时，广目天王说：“那厢因你欲为人师，所以惹出这一窝狮子来也。”孙悟空笑着回答：“正为此，正为此！”

当年孙悟空在观音禅院时，和尚放火烧唐僧。大火之中，黑熊精跑出来盗走了袈裟。黑熊精偷盗袈裟确实有错，但当时孙悟空喜欢卖弄、招惹是非也有错。

在玉华州，三位王子要照着金箍棒、九齿钉钯、降妖宝杖的样子打造新武器。孙悟空三兄弟就拿出宝贝放在院中。依照孙悟空谨慎的性格以及过往的经验，他完全应该意识到把神兵随意放在院中很容易被妖怪觊觎。可是孙悟空什么也没有做。

第二天，大家发现神兵被盗走时，王子吓得面无血色，猪八戒暴跳如雷。唯独孙悟空很冷静，他笑着说："不用再思，也不须苦赖铁匠。我问殿下：你这州城四面，可有甚么山林妖怪？"

看到没，孙悟空一点儿也不惊慌，他早就料到兵器去哪儿了。甚至可以说，孙悟空是故意让附近妖怪盗走兵器，然后借寻找兵器为由将妖怪荡平。

孙悟空有这么"阴"吗？

不是孙悟空这么阴，是孙悟空聪慧，看透了如来、观音的安排。

三位王子的兵器和孙悟空三兄弟依次一样，自然就意味着他们要分别拜师，学习武艺。既然要学武，就必须有趁手的兵器。既然要打造兵器，孙悟空三兄弟就必须交出神兵，让铁匠看样。在没有孙悟空、猪八戒、沙僧的法力压制下，金箍棒、九齿钉钯、降妖宝杖会自动放出万道霞光，就很容易引来附近妖怪。

那么，黄狮精的背后究竟是谁？为何如来、观音如此忌惮，降个妖还要绕这么大弯子？

第十八节　万妖之祖

谁才是西游世界真正的万妖之祖，当然是九曲竹节山的九灵元圣。

为何这么说？

只因九灵元圣有着四大优势，是西游万妖绝对无法相比的。

第一，辈分极高。

居住在豹头山虎口洞的黄狮精，曾经一人迎战孙悟空、猪八戒、沙僧，从吃过中饭打到太阳偏西不分胜败。足足打斗了三四个小时之后，黄狮精实在疲惫，他看出对手中沙僧实力最弱，于是大喝一声："看铲！"沙僧急忙闪身躲过，黄狮精趁机从包围圈中成功逃离。

黄狮精虽然最终落败，但能以一敌三打斗几个小时并且成功逃离。从此可见，黄狮精的神通应当只比孙悟空略逊，远在寻常状态的猪八戒、沙僧之上。如此威猛的黄狮精，若与狮驼岭上的狮魔、象魔、大鹏雕单挑的话必定获胜。

之后，黄狮精与其他六头狮子精大战孙悟空、猪八戒、沙僧三兄弟。同样是打了半天，猪八戒累得口吐白沫，脚步虚浮，被两个狮子精一锏打在背上，生擒活捉了。

书中说："沙僧、行者也都战败。众妖精一齐赶来，被行者拔一把毫毛，嚼碎喷将去……拿住狻猊、白泽，走了伏狸、抟象。"

眼看大败，孙悟空在性命攸关之际施展身外化身之法，变出许多小孙悟空将群狮包围。

孙悟空的身外化身神通在他出道以后多次救命。这个神通有一个很大的好处，就是分身能够拥有本体一部分的威能；但是也有严重不足，即无论是攻击力还是防御力，都不如本体。在黄风岭上，孙悟空变出的小孙悟空就被神风吹走；并且，小孙悟空持续的时间很有限，尤其是一旦远离孙悟空，就会失去神通，变成毫毛。

正因为如此，身外化身经常作为孙悟空的保命手段，在打斗的危急时刻突然用出，常常能够扭转战局。

此战，千百个小孙悟空包围了黄狮精，但黄狮精依然逃离。

有如此神通的黄狮精，与九灵元圣没有血缘关系，却拜在九灵元圣门下，称其为“祖翁”。所谓祖翁，那就是爷爷。黄狮精等群狮，哪个不是修行了千年、独霸一方的大魔头，却都心甘情愿拜服于九灵元圣门下，服其管束，听其号令，足可见九灵元圣之强大。

第二，地位极尊。

九灵元圣乃是天界东极妙岩宫太乙救苦天尊坐骑。

这太乙救苦天尊是谁？他可不是《封神演义》里哪吒的师父太乙真人。在《西游记》中，三清之下是四帝，也叫四御，即总领万星的北极紫微大帝，总领万灵的南极长生大帝，总领万神的西方太极天皇大帝，总领万类的东极青华大帝。

这东极青华大帝就是太乙救苦天尊，住在东极青华长乐世界的妙岩宫中。也就是说，这九灵元圣主人的级别、神通堪比玉帝！还在五方五老的如来、观音之上。

当然，并非主人厉害坐骑就一定厉害。比如，文殊菩萨的坐骑中，既有乌鸡国中两三回合就被孙悟空打得大败、被阉割的青狮精，也有号称一口吞十万天兵、能和孙悟空大战二三十回合的狮魔王。

主人应当是最了解坐骑神通的。太乙救苦天尊对九灵元圣的评价就极高。他说：“我那元圣儿也是一个久修得道的真灵：他喊一声，上通三圣，下彻九泉，等闲也便不伤生。”

什么叫作真灵？真灵是妖兽修行到顶级才能拥有的头衔。在太乙救苦天尊口中，九灵元圣一声吼，上可以惊动三清，下可以直达九幽。言下之意，九灵元圣在对阵孙悟空时，还是保存了大部分实力呢！

有人会说，青牛精乃是太上老君的坐骑，大鹏雕还是如来的舅舅，他们的辈分、地位会比九灵元圣低吗？

先说青牛精。太上老君自然是活了无数亿年，可是青牛精是什么时候才跟随他的呢？原著中太上老君提到金刚琢时曾经说：“当年我化胡为佛，多曾亏它。”太上老君也正是在那个时候骑着青牛，前往西方。燃灯号称过去佛，其实也就是在上一次天地轮回世界中得道成佛。这青牛精极有可能修行了二十来万年。这个年头比如来还久。

如来是在这一次轮回中诞生并修炼成佛的，寿命必定在十二万九千年之下。大鹏雕和如来类似。

九灵元圣呢？太乙救苦天尊只是简单地说他“久修得道”，并没有说他一共修行了多少万年。但是九灵元圣所施展的神通，横扫西游群妖，秒杀孙悟空，即便与如来相比也毫不逊色。

能拥有这种修为的真灵，至少也应当修行过几次天地轮回，超越过几次天地大劫。他的寿命有可能是数十万年，甚至上百万年。

第三，神通极高。

九灵元圣的神通究竟高到怎样的地步？

群狮和孙悟空大战时，九灵元圣在一开始没有出手。以他的见识，早就知道孙悟空背景深厚，不好招惹。第二天，九灵元圣让黄狮精与孙悟空、沙僧交战，自己则飞到玉华州城楼，摇摇九个头，一口一个把唐僧、猪八戒还有玉华王、三位王子擒拿。他的本意是想以人换狮，没想到孙悟空却揪住不放。

孙悟空与沙僧找到九曲盘桓洞叫战，九灵元圣无奈，只能正面迎战。原文说："你看他身无披挂，手不拈兵，大踏步走到前边，只闻得孙行者吆喝哩。他就大开了洞门，不答话，径奔行者。行者使铁棒当头支住，沙僧轮宝杖就打。那老妖把头摇一摇，左右八个头，一齐张开口，把行者、沙僧轻轻的又衔于洞内，教：'取绳索来！'"

放眼《西游记》，能够不用任何法宝就擒拿孙悟空的仙人、妖魔有几个呢？

如来勉强算一个。不过，如来是把孙悟空诱骗到自己掌心之中，然后翻手压下，将孙悟空压在两界山下的。就如同他老人家的金箍一样，必须在人家不动的情况下才能套到头上。在降伏假猴王的时候，如来则是用了个金钵，一下子罩住了假猴王。

镇元大仙勉强算一个。镇元大仙两度与孙悟空交手，第一次劈面就用乾坤袖把孙悟空装了，第二次与孙悟空三兄弟打了一两个小时才用袖子将其装下。镇元大仙的确很牛。可是，他到底是用自己本身法力降伏孙悟空，还是借助了外在的法宝呢？他那袖子极有可能就是一个口袋状法宝，犹如弥勒佛的人种袋。

大鹏雕算吗？孙悟空三兄弟大战狮魔、象魔、大鹏雕三兄弟，因天晚，猪八戒和沙僧纷纷被擒拿。孙悟空想转身飞走，大鹏雕则将孙悟空擒拿。孙悟空之所以被擒，不是因为孙悟空斗不过大鹏雕，而是没有想到大鹏雕竟然飞得比他还快。在下一次孙悟空挑战三魔时，大鹏雕就再也不能擒拿孙悟空了。也就是说，大鹏雕能抓孙悟空纯属侥幸。所以在熟悉他神通的小钻风口中，大鹏雕除了飞得快，其他还不如狮魔、象魔。

可是，那九灵元圣却不靠任何法宝，在孙悟空正面作战、精神高度戒备的情况下，就毫无阻碍地将孙悟空、沙僧擒拿。

我们注意原著用词，叫作“把行者、沙僧轻轻的又衔于洞内”。人家可是轻轻衔着二人的，若是真咬，孙悟空就算有铜头铁骨也受不了。

第四，悉知天命。

在我看来，悉知天命才是九灵元圣最了不起的地方。

西游世界的那些妖魔大多是冲着唐僧而来。即便不是，比如青牛精、黄眉老怪，那也是好勇斗狠之辈，一心想要展现实力，争夺更多的名利。唯独那九灵元圣，清心寡欲，几乎一无所求。

黄狮精、刁钻古怪等妖怪为何不吃人？为何和人类公平交易？不就是因为九灵元圣有命令吗？太乙救苦天尊说九灵元圣“等闲也便不伤生”。事实也确实如此。

若非孙悟空打上门来灭了黄狮精满门，九灵元圣根本不会出手。他虽然没有欲求，可是三年来与黄狮精等相处，也颇有几分香火之情。因此，他最初出手的目的只是想为孙子讨还一个公道。

别的妖怪抓到了唐僧多是要吃唐僧肉，即便不吃，也会说等抓到了孙悟空再放心吃。这九灵元圣轻松抓到了孙悟空，把取经团队一锅端，可是他还是不吃。

九灵元圣说："小的们，选荆条柳棍来，且打这猴头一顿，与我黄狮孙报报冤仇！"他选了三个小妖专门打孙悟空，根本不提吃唐僧肉。

并且，九灵元圣早就听闻孙悟空大名，知道孙悟空手段，可是对孙悟空看管得一点也不严——夜深时分，洞中所有小妖竟然都睡熟了。

等到孙悟空使个缩身法，脱出绳子，还准备救人出去，九灵元圣只是叫了几声，吓走了孙悟空。原文说："情知是行者打破走了；也不去追赶，将破门补的补，遮的遮，固守家业不题。"

九灵元圣真的只是想着固守家业吗？根本不是。

面对黄狮精诉苦，九灵元圣一语道破孙悟空、猪八戒、沙僧在天界的身份。他早就知道三人如今保护唐僧西行取经。以他的身份、地位，对取经团队的幕后背景了解得一清二楚。他知道取经乃是天庭官方行动，因此任凭孙悟空逃走，静静等待主人前来抓捕自己。

在太乙救苦天尊的介绍中，是看守九灵元圣的狮奴偷喝了仙酒，昏睡了过去，于是九灵元圣私自下界。其实不然。

真实情况是太乙救苦天尊瞒过狮奴，故意放走九灵元圣。九灵元圣之所以能够下界，起因是甘露殿中的一瓶仙酒。

事情大概是这样的。某日，狮奴奉命来到大千甘露殿，等候天尊命令。可是天尊迟迟没有出现。狮奴等候无聊，四处张望，看到大殿桌案上放着一瓶仙酒。眼看四周无人，狮奴上前偷偷喝了一口。喝酒之后，狮奴迅速离开，回到狮房。没想到仙酒后劲极大，不一会儿狮奴就沉沉睡去。

就在此时，九灵元圣离开了狮房，下凡来到竹节山。

第十九节　七狮被灭

以黄狮精为首的玉华州七狮王，各个神通不俗。黄狮精若与孙悟空单打独斗，当可五六十回合不败。其他六狮王与黄狮精又在伯仲之间。如此强势的七大狮王，任何一个在其他任何山头，必定都能雄霸一方。如今他们汇拢起来，以七敌三，本当大胜取经团队。可是，事情的发展让人大跌眼镜。虽然猪八戒、孙悟空、沙僧先后被抓，可最终七大狮王竟然无一逃生，全部死在孙悟空一人手上。

孙悟空凭啥能够以一人之力擒拿七大狮王呢？

前文中我们分析过，孙悟空超强的身外化身术是孙悟空获胜的重要原因。不过，一件事情的发展往往是由主客双方的因素共同促成。若没有那么一个人在七大狮王背后推波助澜，将他们送上死路，孙悟空绝不可能轻易杀死黄狮精等妖王。

这个将七大狮王送上绝路的幕后推手是谁呢？

这个狠毒、无情的推手，就是七大狮王尊敬、崇拜的祖翁——九灵元圣。

九灵元圣不是黄狮精等狮王的靠山吗？他不是主动带兵去捉拿

孙悟空吗？他怎么会是那个坑杀自家儿孙的幕后凶手呢？

我如此说，只因若无九灵元圣在幕后推波助澜，以黄狮精为首的七大狮王都可以不死。

为何这么说呢？

黄狮精的洞府在距离玉华州七十里的虎口洞中。和绝大多数地区不同，在玉华州黄狮精的辖区内，人妖关系非常和谐。

玉华州老王爷向孙悟空介绍说：“孤这州城之北，有一座豹头山，山中有一座虎口洞。往往人言洞内有仙，又言有虎狼，又言有妖怪。孤未曾访得端的，不知果是何物。”

按照往常的惯例，既然是妖，那一定代表了恶，就必须被灭杀。可是，事情在玉华州有了不同。老王爷在介绍虎口洞妖怪时，明显带着同情甚至欣赏的成分。“往往人言洞内有仙”，这不就意味着玉华州许多百姓都认为虎口洞中住着的不是妖怪而是神仙吗？或者说，虽然虎口洞中住的是虎狼精怪，但待人和善，与神仙无异。

可以说，若没有金箍棒、九齿钉钯、降妖宝杖三件神兵的失窃案，孙悟空三兄弟根本就不会找黄狮精的麻烦。唐僧师徒在玉华州待两三天，等兵器打造好也就走了。

可是，一贯与人和睦相处、宽厚待人的黄狮精，为何会鬼迷心窍一般，跑到玉华州偷走了三件神兵，从而得罪唐僧师徒呢？

这就要提到九灵元圣了。

九灵元圣在哪里下了黑手呢？且看四段原文。

原文一：土地神介绍说，“那九曲盘桓洞原是六狮之窝，那六个狮子，自得老妖至此，就都拜为祖翁。”

原来，黄狮精与其他六狮王乃是天竺国本土妖精。九灵元圣是在前年来到竹节山，收服了七大狮王。

原文二：见到孙悟空三人进洞后取走兵器，黄狮精大怒说，“你是什么人，敢弄虚头，骗我宝贝！”

黄狮精根本不认识孙悟空、猪八戒、沙僧三人，也根本不知道三件神兵乃是孙悟空、猪八戒、沙僧的兵器。

原文三：黄狮精战败，逃去盘桓洞，向九灵元圣诉说自己偷盗神兵的经过，“小孙前夜对月闲行，只见玉华州城中有光彩冲空。急去看时，乃是王府院中三般兵器放光：一件是九齿渗金钉钯，一件是宝杖，一件是金箍棒。小孙即使神法摄来，立名‘钉钯嘉会’。”

请注意，黄狮精对于三件神兵的名称、特点的叙述非常精准，尤其是对于三件神兵在天庭神兵的公开排行，叙述得非常正确。

在天庭仙人的心目中，九齿钉钯乃是斗牛宫镇宫之宝，堪称天庭第一利器。降妖宝杖也是取自月宫中亿万载神木、由神匠鲁班亲手打造，位在九齿钉钯之后。至于金箍棒，在天庭仙人的印象中，不过是下界神人大禹定江海的一个定子，不值一提，自然排名最后。

原文四：听闻黄狮精对孙悟空三人容貌、兵器的描述，九灵元圣说“原来是他。我贤孙，你错惹了他也！”

来自天界的九灵元圣对于三件兵器的来历，以及孙悟空三兄弟的经历、实力都一清二楚。

我们结合四段原文可以发现，黄狮精这个生长在天竺国的草根妖王，对九齿钉钯等三件神兵了如指掌，却不知道神兵的主人是谁以及实力如何。

为何会出现这样一个奇葩的现象呢?

只因当初黄狮精在听人介绍三件神兵时那人只是讲了三件神兵如何神奇，堪称无价之宝，却丝毫没有提兵器主人多么厉害，根本不能去招惹。

正因如此，黄狮精在偷盗神兵时，根本就没有意识到可能会惹出大祸。偷得神兵后，黄狮精竟然并不隐瞒，而是大张旗鼓地举办钉钯宴会。这真是个善良且纯洁的妖精啊!

这个向黄狮精介绍神兵、将黄狮精引向死路的人，自然是来自天界、知晓许多内幕的九灵元圣。

九灵元圣为何要如此狠辣呢?并且九灵元圣的坑人举动不仅于此。他还做了哪些坑人布局呢?

第二十节　元圣苦楚

孙悟空三兄弟从虎口洞夺回兵器后，并没有追赶，而是杀死小妖，掳走金银后回到玉华州王府。

老王爷担心妖精在唐僧师徒走后报仇，孙悟空安慰他说："那妖精败阵，必然向他祖翁处去会话。明辰断然寻我们报仇，当情与你扫荡干净。"

孙悟空为何不直接冲到九曲盘桓洞除掉九灵元圣，而要等到九灵元圣等人找上门来，再行出手呢？

只因钉钯宴之事全因黄狮精偷窃兵器引起。孙悟空三兄弟虽然杀死了虎口洞小妖，掳走了黄狮精苦心攒下的金银，却是黄狮精犯错在先，得罪了孙悟空三兄弟。三兄弟虽心黑手狠了些，但也算是一报还一报。

九曲盘桓洞的九灵元圣却没有招惹唐僧师徒。在人不犯我的前提下，孙悟空绝不会轻易招惹他人。

当初，观音答应孙悟空“叫天天应，叫地地灵”，然而一切都是以维护取经行动顺利进行作为前提的，而不是真的放纵孙悟空搅乱三界、无法无天。

取经一路走来，孙悟空也深深感知三界中高手如云，即便在人间，也是卧虎藏龙。观音苦心安排了五百年，也只能保证唐僧师徒在既定的取经路线上安全行走；若是超出了这个范围，则必定有许多变数。

正因如此，只要九灵元圣陪同黄狮精前来玉华州，就会被冠以破坏取经行动的罪名，受到孙悟空的反击，成为西方佛派乃至天庭全力镇压的对象。

那么，九灵元圣是否知道前往玉华州危险万分呢？

在听闻黄狮精介绍孙悟空三兄弟情况后，九灵元圣说：“那长嘴大耳者，乃猪八戒；晦气色脸者，乃沙和尚；这两个犹可。那毛脸雷公嘴者，叫作孙行者。这个人其实神通广大：五百年前曾大闹天宫，十万天兵也不曾拿得住。他专意寻人的。他便就是个搜山揭海，破洞攻城，撞祸的个都头！你怎么惹他？也罢，等我和你去，把那断连玉华王子都擒来替你出气！”

九灵元圣这番评价，前三句都是大谈孙悟空、猪八戒、沙僧不好惹，尤其是讲孙悟空神通广大，得罪不得。

按照常理，既然孙悟空三兄弟如此了得，那么黄狮精他们应当如何做呢？应当夹起尾巴，龟缩在洞中，静静等待唐僧师徒离去。可是，九灵元圣最后的意见竟然和前面的谈论截然相反，他提出亲自出马，把孙悟空与玉华州王子统统抓来出气。

应该说，若无九灵元圣撑腰，黄狮精就不敢去找孙悟空，也不会死。若九灵元圣不去玉华州，九曲盘桓洞的六个狮王也就不会去，自然也就不会死。当然，若九灵元圣到了玉华州，果断出手，在第一场大战中就把孙悟空一干人拿下，那七大狮王还是不会死。

可让人瞠目的是，九灵元圣教唆七大狮王陪同他前往玉华州，自己却迟迟不出手，一直等到孙儿们被孙悟空擒拿，这才出手抓了唐僧师徒。

是因为孙悟空神通广大，九灵元圣有所忌惮吗？根本就不是。

九灵元圣曾经在战场上两次展现神通。

第一天，七大狮王与孙悟空三兄弟交战。这边狻猊、白泽两狮精被擒拿；那边猪八戒沦为俘虏。

第二天，在见证了孙悟空的身外化身法术之后，九灵元圣决定亲自出手。但是，他出手的对象却不是孙悟空。他告诉黄狮精：“汝等今日用心拿那行者、沙僧，等我暗自飞空上城，拿他那师父并那老王父子，先转九曲盘桓洞，待你得胜回报。”结果，九灵元圣是成功抓走了唐僧与王爷父子，可黄狮精等五个狮王也被孙悟空抓走。

第三天，孙悟空与沙僧斗志高昂地前往盘桓洞，那九灵元圣兵器也不拿，铠甲也不穿，直接走出洞府，现出法相，摇一摇头，轻轻松松就把孙悟空、沙僧咬住，擒拿回洞府。

可以说，九灵元圣之实力远在孙悟空之上，两人根本就不是一个量级的。

为何九灵元圣有超强实力却制订出一个糟糕至极的作战计划，白白牺牲掉七位狮王呢？

是九灵元圣傻吗？当然不是。九灵元圣明明就是将七大狮王汇聚起来，一步一步带往死地。

九灵元圣为何要这么做呢？

唐僧师徒前往灵山取经，重在过程，而非结果。正因如此，取经后，经书送回长安，唐僧连一页也没有翻看，就直接飞回灵山去了。

孙悟空与猪八戒等人完全有能力带着唐僧飞往灵山，为何如来与观音却要求他们一步一步地走到西天？

只因征服西天路上诸国君臣，灭杀敌对势力妖怪，打通东西方交流之路，才是取经行动的真实目的。

正因为扫灭妖魔是取经行动的重要目的，于是诸多天界坐骑、仆从下界后，第一件事情就是把方圆数百里的妖怪全部收拢到麾下。等取经团队到来时，他们自己可以借助主人的势力成功脱身，但是因他们而汇聚起来的群妖，却无一例外地被孙悟空全部歼灭。

在天竺国玉华州的广袤大地上，原来有着七大狮王。其中黄狮精距离玉华州很近，处在取经路线上；其他六狮则在离玉华州很远的九曲盘桓洞。在正常情况下，唐僧师徒绝不会来到九曲盘桓洞。但若留下六大狮王，将会对佛派的拓展大业有潜在威胁。

于是，观音与太乙救苦天尊商量派遣九灵元圣下界时，应该交代了九灵元圣，令其下界后务必一统玉华州妖界，然后由取经团队负责将群妖全部灭杀。

可怜以黄狮精为首的七个狮王，一口一个“祖翁”地叫着，却谁也没有想到，坑杀他们的正是这个祖翁。

当然，九灵元圣也是无奈。他虽然有天尊实力，却依然不过是高层的一枚棋子。他出现在玉华州的目的，本就是为了给取经团队、给孙悟空作嫁衣。

在得知黄狮精等孙儿被抓住后，九灵元圣心中也很悲痛，让人拿来柳条鞭打孙悟空出气。但是他深深知道孙悟空背景深厚，绝不能加害。于是，他明知孙悟空狡猾多能，却只是用寻常绳子捆绑孙悟空，好让孙悟空半夜溜走，去天界搬救兵。

第二十一节　潜伏目的

太乙救苦天尊与观音有约，派九灵元圣下界，官面的理由是充作取经一难，扫清玉华州妖魔势力，以此促进道、佛两派的和平发展。

但所谓“无利不起早”，身为四帝之一、地位远高于如来的太乙救苦天尊，根本不需要拍如来的马屁，那么他派出九灵元圣下界，真正的目的是什么呢？

先看看原著中是怎么叙述九灵元圣下界的——

孙悟空来到妙岩宫求见太乙救苦天尊，诉说自己前来的原因。天尊听了，让仙将去把看管九灵元圣的狮奴带来询问。仙将来到狮房，见狮奴熟睡。众人好一阵摇晃，才将狮奴晃醒。在仙将看押下，狮奴来到大殿。

狮奴全身战栗，眼中垂泪，只是说着“饶命，饶命！”天尊说：“孙大圣在此，且不打你。你快说为何不谨，走了九头狮子。”狮奴说：“爷爷，我前日在大千甘露殿中见一瓶酒，不知偷去吃了，不觉沉醉睡着，失于拴锁，是以走了。”

看太乙救苦天尊的意思，是把九灵元圣逃离下界完全归罪于狮奴看守不严。

狮奴可能放走九灵元圣吗？

绝对不可能。身为狮奴，看守狮兽是他的职责。若九灵元圣逃走，无论狮奴是否有意放纵，那都是第一责任人。若天尊计较起来，狮奴难逃一死。

在妙岩宫仙人中，最不可能放纵九灵元圣下界的就是狮奴。正因如此，九灵元圣被天尊念咒降伏现出本相时，狮奴上前拳打脚踢，直到打累了方才罢休。从狮奴对九灵元圣的满腔怒火也可以看出，九灵元圣的出走绝非狮奴本意。

那么，究竟是谁在其中捣鬼呢？

九灵元圣之所以能够下界，起因是甘露殿中的一瓶仙酒。那么，是谁把仙酒放在大殿的呢？毫无疑问，就是太乙救苦天尊。

天尊为何要如此做呢？

答案就在仙酒的来历上。天尊介绍说：“那酒是太上老君送的，唤做‘轮回琼液’。你吃了该醉三日不醒。”

太上老君使用栽赃嫁祸下人的手段，已经不是第一次了。当初青牛精下界，不就是因为看守童子吃了一颗仙丹，睡了足足七天吗？

此次，太上老君送给太乙救苦天尊一瓶仙酒。在太上老君的指点下，天尊如法炮制，山寨了一把，嫁祸狮奴看守不严，放纵九灵元圣下界。

太上老君对天庭之主玉帝不满，一直图谋反天。只是反天事大，太上老君单挑可以斗过玉帝、如来，却忌惮玉帝背后的元始天尊和灵宝天尊。因此，太上老君一直在积蓄力量，笼络人心。

四帝之一的东极青华大帝，即太乙救苦天尊，极有可能是太上老君麾下主将。太上老君送出的仙酒，就是一个看似不起眼的证据。

如果说青牛精下界主要是彰显太上老君三界第一人的实力，那么九灵元圣下界又有什么特别使命呢？

随着唐僧师徒走入天竺国，我们可以发现一个惊人的现象：在东土大唐百姓心中的佛派胜地天竺国，其实绝大多数官员、百姓都不信佛。

天竺国外郡凤仙郡、玉华州都不信佛，那金平府人倒是信佛，可信奉的是假佛。而天竺国王也不信佛，并且他不但不信佛，还讲说佛派的种种不好，劝说唐僧还俗。

古语云："近水楼台先得月，向阳花木易为春。"天竺国本该成为灵山佛派最强有力的根据地，君臣、百姓本该全部信奉佛派。为何会出现越靠近灵山信仰佛派的人越少这种奇怪的现象呢？

唯一且合理的解释是：有人在限制灵山佛派势力向外扩张，而越是靠近灵山，这股限制力量就越大。

三界之中能够拥有这份实力，且成功压制佛派千年的，只有四帝以上的大天尊。具体说来，这限制力量当有两大源头：其一，太上老君；其二，玉帝。

太上老君与玉帝本是对手，双方在很多地方都针锋相对，势如水火，但是在限制佛派势力扩张这点上，千年来又存在共识。毕竟，太上老君与玉帝都是道派仙人。

那么，他们施展了什么手段去限制佛派势力扩张呢？

最主要的手段便是派出许多仆从、坐骑下界充当妖王，以阻隔东西方交流之路，把佛派势力尤其是如来代表的佛派势力，限制在西牛贺洲乃至灵山之内。

在唐僧遭遇的八十一难中，多数妖怪不过下界为妖数百年，可是也有一些妖怪，早在如来宣布实施取经行动之前，就已经盘踞在西方大路上。

比如荆棘岭上崇奉道法的拂云叟、杏仙，他们修行已有千年。也就是说，他们盘踞荆棘岭，隔绝东西方道路已经千年。

比如牛魔王，早在孙悟空大闹天宫之前，他已经是西方路上第一魔王，一家霸占数千里江山，更与诸多妖仙结盟，势力强大。

不过，以上种种都是明面上的，唯独玉华州的安排极富隐蔽性。明面上的安排，在取经团队过后都被一一摧毁。可是，在玉华州暗中的安排，于唐僧师徒走后依然存在。

负责玉华州行动的，就是太上老君派系干将、太乙救苦天尊麾下的九灵元圣。九灵元圣在玉华州做了些什么呢？

我们先看看九灵元圣住在哪里。他住的地方叫万灵竹节山九曲盘桓洞。书中说：“真是鹤来松有伴，果然云去石无依。玄猿觅果向晴晖，麋鹿寻花欢日暖。青鸾声淅沥，黄鸟语绵蛮。……四时八节好风光，不亚瀛洲仙景象。”

九灵元圣不愧是上古真灵下界，选择的地方灵气充裕，利于修行。其所在竹节山，犹如世外仙境。

单看这一处，还看不出问题。我们再看看原著中对黄狮精豹头山的描写：“龙脉悠长，地形远大。……一起一伏远来龙，九曲九湾潜地脉。埂头相接玉华州，万古千秋兴胜处。”

原来，那黄狮精住的豹头山，是九曲中的一曲，其他六个狮子精也住在九曲山脉中的一个曲。九灵元圣自己则居住在九曲中的核心位置。

整个九曲犹如一条神龙，蜿蜒盘旋在天竺国境内。换言之，这九曲就等于天竺国的龙脉之地。

自古以来就有种说法，帝王江山得龙脉而兴盛，毁龙脉而败亡。身为真灵的九灵元圣自然看不上凡人的江山。那么，九灵元圣为何要让七个狮子精分别占据天竺国的七处龙脉要地呢？

如来成为佛祖后，志在消除太上老君对佛派的控制。太上老君与佛派已经成为对立关系。

于是，太上老君在千年前就在西牛贺洲做出种种安排，其中之一就是在天竺国境内，以九曲龙脉之形布下大阵，以遏制佛派的扩张。

九灵元圣此次下界，表面上看起来三年间清静无为，其实是把主要的精力都放在了巩固九曲龙脉大阵上。

三年时间将满，九灵元圣巩固阵法的任务也完成了。因此，九灵元圣将七大狮王一一送上断头台，以彻底抹杀隐秘任务的痕迹。

七大狮王一死，人间再无其他人知道九曲龙脉大阵的秘密。

第二十二节　剥皮吃肉

九灵元圣跟随太乙救苦天尊返回天界，留在玉华州的七个狮子精就注定了难逃一死。只是他们万万没有想到，自己会死得那么没有尊严。

此前，孙悟空打死的小妖数以万计，打死的妖王也有三五个。小妖也好，妖王也罢，将他们打死后，孙悟空也就怒气全消了。很多时候孙悟空与猪八戒都会放一把火，让那些妖怪的尸体尘归尘、土归土。这种处理方式虽然简单粗暴了些，但对那些妖怪来说不乏尊严。

可是，孙悟空对黄狮精等七大狮王肉身的处理方式与以往截然不同。

原文说："行者又叫屠子来，把那六个活狮子杀了，共那黄狮子都剥了皮，将肉安排将来受用。……把一个留在本府内外人用，一个与王府长使等官分用；把五个都剁做一二两重的块子，差校尉给散州城内外军民人等，各吃些须。"

孙悟空不但把七大狮王剥皮切肉，并且要求切分成一二两重的小块，分给整个玉华州百姓吃。

西游世界的诸多妖怪，本体多是禽兽，但经过多年苦修，已经修得人身，不但拥有灵智，且有远超人类的神通。妖怪也可称为妖仙，在西游世界的等级划分中已经不再是食物链底端。他们超越了禽兽，超越了凡人，成为仅次于人族仙人的强大存在。

被卑贱的人类分食，是妖怪的耻辱。

若这七大狮王乃邪魔恶妖，平日里以吃人为乐，总是欺凌玉华州百姓，那么落到被分而食之的下场也说得过去。

事实上，七大狮王中六大狮王住在竹节山盘桓洞，除了跟随九灵元圣到过一次玉华州，此前数百年来根本就与玉华州秋毫无犯。即便是在玉华州附近的黄狮精，与玉华州官员、百姓也都是公平买卖，和平相处。

为何吃掉一国百姓，把狮驼岭变成人间地狱的狮魔、象魔、大鹏雕都能修成正果，太平无事，而西游世界中唯一善待人类，堪称仁义无双的玉华州七大狮王，却落得被切肉剔骨、不得好死的下场呢？

下达这残忍命令的人是孙悟空。孙悟空为何如此呢？

孙悟空与七大狮王有仇吗？双方确实有仇。

黄狮精偷了孙悟空三兄弟的兵器，想举办什么钉钯宴。孙悟空在黄狮精败逃后，杀死了黄狮精的女人、手下，把一洞的财宝全部掳走了。双方相比较，还是孙悟空赚了。

孙悟空真正怨恨七大狮王其实另有原因。

黄狮精在被打跑之后，没有老老实实靠边站，而是带着一伙兄弟前来报复。若只是七个狮王前来闹事也还罢了，偏偏黄狮精还带来一个强大妖魔九灵元圣。

起初，孙悟空并没有把九灵元圣放在眼中。他对玉华州王爷说："才那妖精败阵，必然向他祖翁处去会话。明辰断然寻我们报仇，当情与你扫荡干净。"在孙悟空看来，只要自己出马，西天路上没有搞不定的妖怪。

可是，在玉华州万众瞩目之下，孙悟空代表的取经团队与九灵元圣代表的狮子精团队两次交手，结果却是取经团队大败。

第一次交手：双方从上午打起，取经团队一方高手尽出，九灵元圣一方只派出七个狮王。结果到晚上，取经团队抓了两个狮王，狮子精团队抓了猪八戒。

第一天的交手，双方可以说是胜败不分。狮子精团队的九灵元圣没有出手，而取经团队中的唐僧也没有出手——在玉华州的许多凡人看来，唐僧应该比孙悟空还要厉害。

第二次交手：第二天继续开战，五个狮王大战孙悟空与沙僧，双方不分胜败。之后，九灵元圣飞向城头，轻松擒拿玉华州王爷父子和唐僧。

虽然说在九灵元圣莫名撤退后，黄狮精一方惊慌失措，而孙悟空奋起余勇，施展身外化身，成功将五大狮王全部抓捕。可是在无数百姓看来，取经团队已经大败。

妖精一方不过是损失了七个狮王，可玉华州这边王爷与三位王子被一锅端，取经团队的师父唐僧、徒弟猪八戒也沦为阶下囚。这败局不是很明显吗？

加上那九灵元圣显出真身，真的是顶天立地，九张狮口比城门还大，仿佛能吞食天地，让玉华州的官员、百姓无不恐惧。

至于孙悟空与九灵元圣的第三次交手，更是败得惨不忍睹。

孙悟空与沙僧告别哭泣的王妃，杀气腾腾地飞往竹节山。怎料想刚与九灵元圣打个照面，就被九灵元圣一口咬住，轻松擒拿进洞府。

从出世以来，孙悟空还从未遭遇过如此大败。即便是当初与如来斗法，也未败得如此彻底。尤其是孙悟空被抓后扔进洞里的窝囊相，恰恰被玉华州王爷以及三位王子看得清清楚楚。

可以说，孙悟空非常渴望在玉华州王爷、王子心中恢复此前那无所不能的“神师”形象，也非常需要在玉华州万千百姓心中建立战无不胜的佛门取经团队形象。

既然九灵元圣跑了，那只能借七个狮子精的血来装点门面了。

当然，孙悟空将七大狮王切肉分食，不单单是为了重塑自身的光辉形象，更是为了在玉华州万千民众心中树立佛法无边的伟岸形象。

当吃了狮子精的肉后，原文说："那些家家户户，无不瞻仰。"

孙悟空用切肉分食这一招，轻松洗去了玉华州万千百姓心中的恐惧，也洗去了取经团队几次大败的耻辱，令玉华州官员、百姓"无不瞻仰"。

"瞻仰"什么呢？当然是瞻仰、膜拜降伏狮子精的取经团队，尤其是把强大无比的九头狮子也"击溃"的大神师、齐天大圣孙悟空。

唐僧师徒出发时，原文说："只见那城里城外，若大若小，无一人不称是罗汉临凡，活佛下界。鼓乐之声，旌旗之色，盈街塞道。正是家家户外焚香火，处处门前献彩灯。"

玉华州万千百姓亲眼看到了当初那场惊心动魄的佛魔斗法，更亲口吃到了千年狮子精的肉。无数年来，玉华州的百姓没有哪一次像这些天一样，深切感受到佛派的强大。自然，所有官员、百姓对代表佛派的唐僧师徒无不顶礼膜拜，无限仰慕。

第二十三节　人间乐土

唐僧师徒离开玉华州后一路西行，走了五六天来到金平府。在金平府慈云寺，唐僧与慈云寺和尚的一番谈话，引发了我对东土与西天佛派生存状况的思考。

东土与西天，哪个才是人间乐土？

在唐僧等东土大唐和尚们看来，灵山所在的西牛贺洲，即所谓西天，乃是人间佛国圣地、极乐之乡。

只是，佛派在西天的实际生存状态如何呢？

在车迟国，因和尚斗法失败，国王一声令下，便将和尚全都发给道家做奴隶，为道家搬石头、修楼阁，稍有迟误，就要吃鞭子。

在祭赛国，和尚被扣上监守自盗的污名，整个国家的寺庙都被拆除，只有一座金光寺因是皇家所建才残存了下来，但名誉既损，和尚们每天生活在百姓的唾弃中，承受饥寒交迫之苦，简直比乞丐还不如。车迟国的和尚们勉强还能活，而祭赛国的和尚们大半被打死，被饿死、冻死。

靠近天竺国的灭法国就更糟糕了，全国的和尚几乎全被杀光。即便是路过的和尚，在灭法国也自动沦为通缉犯。在唐僧师徒到达时，已有九千九百九十六位和尚沦为灭法国王的刀下亡魂。

可以说，越靠近灵山，和尚们的生存状况越差。

只是，唐僧毕竟是个有着坚定信仰的人。在进入西牛贺洲地界后，虽然唐僧一再见到佛派的种种窘境，见到和尚们的种种惨状，但是他并不肯轻易放弃。

在比丘国宝林寺，见到护守山门的一对超大金刚塑像时，唐僧不由赞叹道："我那东土，若有人也将泥胎塑这等大菩萨，烧香供养啊，我弟子也不往西天去矣。"

其实，东土大唐怎么会没有大塑像？大唐佛法之兴盛远在西天诸国之上。唐太宗一道圣旨传达，就从全国各地寺庙选拔出了一千两百名得道高僧，齐齐汇聚长安，为唐王举办超度法会。唐僧出任都僧纲，骑马戴花游遍长安，百姓、官员夹道欢呼，其盛况堪比状元游街。

既然东土佛法如此兴盛，赛过西天，那么唐僧为何不愿意相信这个事实呢？

只因若是相信，他与诸多东土和尚就将面临大危机——既然东土比西天好，那么苦苦修行，希望转世投胎到西天还有什么意义？

所谓“哀莫大于心死”，一个人最大的危机不是贫穷，不是受到他人冷遇，而是自身失去了奋斗的目标、前进的方向。

西天路上，当唐僧受到大施主的热情照顾时总是不禁慨叹：“不愧是西天极乐之乡，乐善好施如此！”

其实，唐僧一路走来，见到的崇奉佛派的施主与不信佛法的妖魔、君王、百姓相比，实在少得可怜。

于是，出现了一个很奇怪的现象：明明走到了天竺国，走到了所谓极乐之乡，唐僧却变得沉默了。唐僧走到金平府时，前后经历了天竺国三大外郡。佛派在这三处地方，情况都如何呢？

凤仙郡百姓是在三年大旱、死人无数的情况下，开始转投佛派。玉华州百姓是在亲口吃到狮子精的肉后，才瞻仰取经僧，崇奉起佛派。金平府干脆是与佛祖——虽然是假佛祖——做起了生意：我出油，你出力。既然双方是生意关系，自然也谈不上信奉。

或许就是因为这种尴尬局面见多了，到了灵山时唐僧也没缓过劲来。当时，孙悟空不禁笑道：“师父，你在那假境界、假佛像处，倒强要下拜；今日到了这真境界、真佛像处，倒还不下马，是怎的说？”

以上我们说的是东土僧人对西天的印象。那么，西天和尚对东土印象又如何呢？

唐僧在慈云寺山门前，见到殿阁高耸，楼台壮丽，不禁欢喜，连连慨叹：“不愧西天极乐之乡！”走了许多年，见了许多庙，唐僧终于见到一座华丽程度赛过（或许只是唐僧想当然地以为）东土的寺庙了。

唐僧为何高兴？这可不单是一座寺庙的问题，而是关乎唐僧信仰的问题。慈云寺越是华丽，越能证明佛派在西天境况之好，那么唐僧的奋斗目标也就不是虚妄了。

只是唐僧万万没想到，刚开心一会儿，一个慈云寺的和尚就极为爽利地将唐僧的美梦敲碎了。

从慈云寺走出一个知客僧，询问唐僧从何处来。听闻唐僧从东土大唐而来，那和尚竟然激动得立刻下跪，朝唐僧行叩拜大礼。

取经路上，唐僧也住了无数家寺庙，见过了成千上万和尚，但像慈云寺和尚这样，只是听闻唐僧出身就磕头跪拜的还是第一个。

唐僧很疑惑，询问知客僧为何行大礼。知客僧一脸羡慕地看向唐僧合掌行礼道：“我这里向善的人，看经念佛，都指望修到你中华地托生。”

知客僧的话让唐僧大跌眼镜。在号称西天极乐之乡的天竺国，和尚一辈子看经念佛，最大的愿望竟然是死去之后转世投胎到东土中华地界。

佛派本自西方流传，天竺国更在灵山脚下，堪称佛门根本重地。为何当地和尚们对中华地界反倒比对佛国圣地更有感情呢？

镇海禅林寺的和尚一语道破玄机。

听闻唐僧不远万里来到西方求取佛经，镇海禅林寺的和尚第一反应是大笑。那笑满是嘲讽。并且那和尚一边笑，一边还说：“不当人子，不当人子！”

“不当人子”，简单说就是“罪过”之意。那和尚为何笑唐僧此举是罪过呢？且看原文：“我们不是好意要出家的，皆因父母生身，命犯华盖，家里养不住，才舍断了出家。”对于唐僧不好好在东土大唐享福，却万里跋涉，不辞辛劳来西天求取什么佛经，镇海禅林寺的和尚表示非常不理解。

在西牛贺洲诸多国家，出家为僧几乎都不是自觉自愿的，更不是什么荣耀之事。绝大多数和尚都是因为家里穷，养不活，为了混饭续命，才被父母送到寺庙当和尚的。

而中华地界，千百年来一直都被周边各国尊为天朝。在外人眼中，中华地界的百姓无人不过着吃穿不愁、衣食无忧的幸福生活。

唐僧师徒一路走来，除了年少无知的乌鸡国太子对唐朝表示过不满外，所有途经国家的君王、官员、百姓，无不对中华、对大唐充满崇敬。

于是，以天竺国为代表的西牛贺洲诸国百姓，渴望转世投胎到中华地界，享受富贵生活，也就在情理之中了。

为何东土与西天的和尚都觉得对方地界很美呢？

《聊斋志异》中《西僧》一文说了这样一个故事：

有两个和尚从西域远来，到达我中华后，一个去了五台山，一个去了泰山。这两个和尚的语言、容貌和服饰，与我华夏族人完全不同。他们一行人从天竺出发，沿途经历了十八年寒暑。出发时，一共有十二位和尚，可是到达中华地界的只有这两人。

他们说，在天竺国人人都传说中华有四大名山——泰山、华山、五台山、落伽山。据说在这四大名山上遍地都是黄金，观音和文殊菩萨都还活着。和尚只要能到达那里，便能享受立地成佛、长生不老的待遇。

蒲松龄先生写到这里，不禁笑叹："听其所言状，亦犹世人之慕西土也。倘有西游人，与东渡者中途相值，各述所有，当必相视失笑，两免跋涉矣。"

此故事中的两位天竺国和尚，和《西游记》慈云寺中的和尚一般，都视我中华为圣地。唐僧也犹如后代许多和尚一般，仰慕那天竺佛国。只是东西方和尚在中途相遇时，会"相视而笑，两免跋涉"吗？

《西游记》的故事告诉我们，结局并非那样。

虽然一再见证了西天佛派的窘境，但唐僧"初心不改"；虽然见到了中华地界和尚仰慕天竺，但依然不能让天竺国和尚放弃转世到中华的愿望。

在回到大唐时，唐僧向唐太宗介绍了沿途诸国的奇风异俗，却始终没有提西天佛派在西天诸国的窘境。不是因为他忘记了，而是因为不能提。不但不能提，而且唐僧还必须大讲特讲佛法在西天如何流行，只有如此，才可以劝说唐太宗更加虔诚地崇奉佛法，才能让东土佛法更加昌盛。

若说出了真相，不但唐僧失去了立身之本，更使整个东土佛派都会迷失方向。

至于那慈云寺的和尚，并没有唐僧那般远大志向。唐僧说自己一个行脚僧，风餐露宿，怎比慈云寺和尚高坐寺庙，闲养自在。在被唐僧夸赞了几句后，慈云寺和尚就把西天与东土之比较放在一边了。与虚无缥缈的来世相比，还是享受眼下之福更为重要。

这种东土与西天互相仰慕的奇葩现象，究竟是怎么形成的呢？

首先，是交通不便导致的信息隔膜。

太多的误会，源于无知。同样，太多的膜拜，也源于无知。很多时候，无知并非主观意愿，而是在那个科技落后、交通不便的年代，必然造成交流不便、信息隔膜。

像孙悟空、猪八戒这种仙人，可以游遍四海，可是凡人唐僧要想到达西天，却必须走上十四年。十四年要发生多少事情？等到唐僧到达西天，再返回长安，一个人的半辈子都要过去了。

其次，是人类的欲求发酵了信仰。

人人都容易对现状不满，人人都渴望有那么一个地方，能够让自己活得更好、更滋润。于是自然而然地，人们对天的那一方产生了许多奇妙联想。这些联想，只有极少数是有根据的，而绝大多数是人们根据自己的欲求，添油加醋，添枝加叶，自动脑补上去的。

于是我们说，是东土的人们造就了西天佛国圣地。同样，是西天的人们打造出了中华富贵之乡。

在西游世界，仙人们都可以在东土与西天任意往来。可是，没有哪位仙人会提醒人们，西天并不美好，东土也绝非乐土。

第二十四节　犀牛精偷油

唐僧师徒来到金平府，赶上正月十五闹花灯。唐僧前往观看，恰巧碰见前来收取灯油的三个犀牛精，从而引发了新一轮的故事。

当时，三个犀牛精假扮佛祖，不但把唐僧卷走了，还把三大缸共一千五百斤香油给卷走了。

后来，孙悟空去西海追击三个犀牛精，留下猪八戒和沙僧清理妖怪洞府。原文说："八戒与沙僧将他洞内细软宝贝——有许多珊瑚、玛瑙、珍珠、琥珀、宝贝、美玉、良金——搜出一石，搬在外面，请师父到山崖上坐了。他又进去放起火来，把一座洞烧成灰烬。"

作者详细写妖怪洞府中的各种宝贝有何用意呢？是说妖怪富有？

不是。作者是提醒我们，刚被犀牛精带入洞府的三大缸一千五百斤香油不见了。这一千五百斤香油到底去哪儿了呢？

说起西游世界使用香油的大户，毫无疑问首推如来。

佛派一直都非常喜欢使用香油。这种香油，并非用来炒菜的菜油，而是一种一点燃就能释放奇香、让人凝气安神的灯油。崇奉佛法的善男信女们会向寺庙捐献财物，这捐献一般就称作"香油钱"。灵山作为佛派高层汇聚之地，香油的使用量自然极为庞大。

西游世界有两个妖怪的出场和香油有些关联，这两个妖怪都来自灵山：一个是黄风岭的黄风怪，因偷吃佛祖驾前灯油，惹得佛祖大怒；一个是陷空山无底洞的老鼠精，在官方理由中也是因偷吃了佛祖的香油、蜡烛而被通缉。

从此可见，如来不但喜欢香油，并且使用的是一种非常罕见的香油。这才使得黄风怪、老鼠精敢于冒着极大风险去如来眼皮底下做坏事。

那么，如来使用的香油是否就是来自金平府的香油呢？换言之，金平府的三个犀牛精是不是如来派来收取香油的呢？

乍一看，这种猜测好像很合理。若非有如来做靠山，三个犀牛精怎么敢在灵山脚下假扮佛祖，威逼百姓缴纳香油？若非有如来默许，三个犀牛精怎么可能在金平府收取保护费，并且一干就是一千来年？

若犀牛精的后台是如来，既可以解释金平府千余年来香油的去向，又可以解释灵山庞大香油的货源。

但是我们所有的推测都要立足于文本。在《西游记》原著中，从犀牛精卷走香油，到猪八戒从洞中搜出种种财物，中间没有任何佛派的人马出场、离开。既然没有佛派的人马出场、离开，那怎能说是佛派或如来带走了香油呢？

还有，作为西方佛老，天庭在人间的五大管理者之一，如来有必要在自己的地盘派个犀牛精假扮佛祖吗？

没有必要啊！

首先，三位“佛祖”和金平府签订的乃是平等协定。

每年，金平府进贡一千五百斤香油，三位“佛祖”则保护金平府一年风调雨顺。这买卖金平府吃亏吗？不吃亏啊！

书中说得明白，这一千五百斤香油价值几万两银子，但是这香油钱并不是摊派给全府百姓，而是由二百四十户香油大户分摊，由他们一户负责一年。那么，香油大户是不是压力很大呢？绝对不会。

物品的市场需求决定其价值。正因为每年的香油要进贡给神通广大的“佛祖”，并且需求量比较大，香油的价钱才会飙升到普通百姓难以想象的高度。正因为香油的价钱高，那二百四十户香油大户的生活才能过得比较舒坦。可以想象，孙悟空抓住犀牛精后，宣布从此不用进贡香油后，香油大户在最开始可能会高兴，但不用一两年他们就会发现，香油的价格一落千丈，他们的香油从人人追捧的贵价变成白菜价。最终，许多香油大户会破产。

而没有人收香油了，自然也就没有人负责保护金平府的风调雨顺了。万一像凤仙郡那样来个干旱三年，老百姓就得饿死大半。

何况，无论是陪同唐僧的慈云寺和尚，还是金平府的寻常百姓，对那取灯油的三位“佛祖”都非常尊敬，人人望风跪拜，并没有人觉得“佛祖”的保护费收多了、收重了。

既然如此，如来何必要让人假扮佛祖？他麾下有四十多个佛，随便派几个真佛去收灯油不就没有那么多事了？

其次，如来对唐僧取经团队的行踪了解得一清二楚。

唐僧取经途中遭遇的绝大多数劫难，都是如来、观音事先安排好了的。为了保证取经行动能按照计划有条不紊地进行，如来和观音特别派遣六丁六甲和十八位护驾伽蓝保护唐僧。这三十位佛派护法神与天庭的四值功曹、五方揭谛一起，轮班守卫唐僧。佛派的三十位仙人并非一直都跟着唐僧，他们内部也有分工协作。比如这拨保护唐僧，那拨就前往灵山和落伽山向如来、观音汇报最新情况。这也是观音、文殊、寿星等高层仙人总能够在孙悟空挥棒打妖怪的关键时刻出现的主要原因。

若犀牛精是如来的人，如来就应该派人通知犀牛精今年暂停收取香油，而改派真佛去收取。如此，如来的利益才能不受损害。

可是，原著中的犀牛精明显没有接到任何线报，他们不但不知道唐僧最近要到金平府，并且连唐僧都不认识。原文说："那老妖听说，个个心惊道：'才拿了这厮，还不曾问他个姓名来历。小的们，且把衣服与他穿了，带过来审他一审，端是何人，何自而来也。'"

三个犀牛精抓唐僧纯粹是个意外，是唐僧主动上前拜佛，犀牛精在收取灯油时顺手把唐僧捎带走的。一回洞府，犀牛精就吩咐小妖把唐僧的衣服扒光，扔到池子里洗干净——他们并不知道抓来的和尚就是唐僧。一直等到孙悟空打上门来，犀牛精才开始审问唐僧，明白了唐僧的身份。

由此可见，犀牛精绝非如来的人。

孙悟空追踪妖气，来到青龙山。刚落下云头，就看到四个怪人。原文说："只见四个人赶着三只羊，从西坡下，齐吆喝'开泰'。大圣闪火眼金睛，仔细观看，认得是年、月、日、时四值功曹使者，隐像化形而来。"

这四值功曹乃是玉帝派来的，名为保护唐僧，其实是监视取经团队的一举一动。孙悟空知道这些仙人只是保护唐僧不死，并不负责降妖除魔。眼下，他却看到这四个仙人擅离职守，单独行动，心想万一唐僧出事怎么办？

孙悟空质问道：“你们不在暗中保祐吾师，都往那里去？”四值功曹解释说：“他身边有护法伽蓝保着哩。吾等知大圣连夜追寻，恐大圣不识山林，特来传报。”

四值功曹特意来告诉孙悟空什么消息呢？

他们告诉孙悟空，这山叫青龙山，那妖怪是三个犀牛精，分别叫作什么什么。其中最关键一句是：“他自幼儿爱食酥合香油。当年成精，到此假装佛像，哄了金平府官员人等，设立金灯，灯油用酥合香油。他年年到正月半变佛像收油。”

在四值功曹口中，犀牛精从小就爱吃香油，自从成精，一千多年来一直哄骗百姓，变佛取油。按照四值功曹的叙述，犀牛精是坐稳了偷油贼的污名。

可是，犀牛精真的爱吃香油吗？

孙悟空上天庭时遇上了太白金星，太白金星是这么介绍犀牛精来历、特征的：“那是三个犀牛之精。他因有天文之象，累年修悟成真，亦能飞云步雾。其怪极爱干净，常嫌自己影身，每欲下水洗浴。……都是一孔三毛二角，行于江海之中，能开水道。似那辟寒、辟暑、辟尘都是角有贵气，故以此为名而称大王也。若要拿他，只是四木禽星见面就伏。”

太白金星对犀牛精的来历非常清楚，不但说出犀牛精成精的原因及其神通的特点，并且道破降伏犀牛精的最佳人选。可是，如此了解犀牛精的太白金星却没有说犀牛精喜欢吃香油。在太白金星口中，犀牛精最爱的不是吃香油，而是爱洗澡。

为何四值功曹和太白金星对犀牛精的介绍如此不同呢？因为四值功曹在撒谎。

真实的情况是犀牛精根本不爱吃香油，一千多年来他们都在帮人打工。如今大难临头，他们的主子怕机关败露，于是让犀牛精背了黑锅。

从孙悟空追赶妖怪，到猪八戒清剿山洞，唯一到过犀牛精洞府并成功离开的，只有一伙人——四值功曹。

正是他们在第一时间取走了香油。为了遮人耳目，他们才变化成四个赶羊人。路上撞见了孙悟空，四值功曹就假托汇报情况，污蔑犀牛精爱吃香油，故意诱导孙悟空。

那么，真正的偷油贼是谁呢？

第二十五节　真偷油贼

真正的偷油贼并不难寻。既然犀牛精的后台不是如来，那胆敢在灵山脚下假冒佛祖的，必然是连如来也招惹不起的大人物。这样的大人物，在西游世界中，唯有两个人：其一，太上老君；其二，玉皇大帝。

其实，真正偷香油的，不是如来，不是太上老君，而是三界之主、高居天庭的玉帝。为何这么说？

首先，四值功曹是玉帝指派下凡，是唯一进入妖洞且离开的仙人。

四值功曹与五方揭谛一共有九位仙人。这九位仙人中，日值功曹与太上老君关系亲密，曾经暗中把唐僧师徒的消息泄露给金角大王。其他八位仙人尤其五方揭谛是玉帝的铁杆心腹。这九位仙人下界名为保护唐僧，实为监视取经团队的一举一动，最终保护的是玉帝的利益。

按照四值功曹的说法，他们是暗中陪同唐僧与三个犀牛精一起来到了妖怪洞府。然后，他们留下佛派的护驾伽蓝等仙人，让他们寸步不离唐僧。自己一方，则借口给孙悟空报信，带着一千五百斤香油匆匆离开。

若四值功曹真是给孙悟空报信，那应当主动找寻孙悟空。事实却是，孙悟空来到青龙山时看到这四个人形容古怪，且在渺无人烟的荒山野岭赶着三只羊。孙悟空起了疑心，运用火眼金睛，识破四值功曹身份，他们才不得不说些犀牛精的来历以敷衍一番。

说完来历，这四值功曹就消失了。他们极有可能就是跑到天庭交货去了。因为玉帝所需要的高档灯油绝对不会比如来少。

四值功曹说犀牛精喜欢吃香油，貌似说出犀牛精作乱的根源，但与太白金星的话一对比，就会发现两拨人必有一方在撒谎。

前文多次说过，太白金星明面上是天庭文臣首领，暗中却是太上老君一方的代表。孙悟空刚到天庭，就看到太白金星在西天门前与看守天王闲聊。很明显，太白金星是在等候孙悟空。他告诉孙悟空这一番话的目的，除了指点孙悟空找四木禽星降伏犀牛精之处，还有提醒孙悟空犀牛精的特性不是爱喝香油，而是爱洗澡。

其次，玉帝一开始不派四木禽星出马，让人怀疑。

孙悟空求见玉帝，把前因后果说明一番，请求派天将下凡降伏犀牛精。听完孙悟空叙述，玉帝询问："教点那路天兵相助？"

在后文中，奎木狼等人听说请他们四人下界擒拿犀牛精，就说："若果是犀牛成精，不须我们，只消井宿去罢。他能上山吃虎，下海擒犀。"连奎木狼等人都知道二十八宿中的井木犴是犀牛克星，玉帝怎么会不知道？很明显，玉帝最初想要保护犀牛精，不想派出厉害人马。

孙悟空却说："老孙才到西天门，遇长庚星说：'那怪是犀牛成精，惟四木禽星可以降伏。'"见孙悟空搬出太白金星，玉帝意识到太上老君一派必定会揪住犀牛精假扮佛爷妨碍取经不放。于是他才下定决心，派出四木禽星消灭犀牛精。

奎木狼等人提出，只要井木犴一人去就可以降伏犀牛精，玉帝的心腹许天师生气了，说："你们说得是甚话！旨意着你四人，岂可不去？趁早飞行，我回旨去也。"玉帝既然决心杀人灭口，就务必干净利落。单派井木犴一位，三个犀牛精还有可能逃脱。而一旦有逃脱，就有可能将玉帝才是幕后大老板的事情泄露。

若是如来派出三位佛在灵山脚下收取香油，那天经地义，合理合法。若世人知道是玉帝让犀牛精假扮佛祖收取香油，那玉帝必然背负坑蒙拐骗的污名，他的颜面何存？

再次，从西海龙王的反应看，早就知道犀牛精上面有人。

在四值功曹的口中，三个犀牛精都是草根妖怪，在天界毫无背景。可是，当孙悟空与井木犴、角木蛟二星追赶三个犀牛精来到西海时，西海龙王说："快点水兵。想是犀牛精辟寒、辟暑、辟尘儿三个惹了孙行者。今既至海，快快拔刀相助。"

西海龙王一听有三个犀牛前来，立刻知道是辟寒、辟暑、辟尘。可见，住在偏远西海的龙王不但知道三个犀牛精的大名，而且极有可能与之早就相熟。

犀牛精为何逃亡西海？必然是因为与西海龙王关系不错，想要借西海避祸。只是他们万万没想到，西海龙王一看到是孙悟空在追他们，尤其还跟着来自天庭的井木犴，就立刻明白是玉帝要收拾犀牛精了。

既然如此，一贯擅长见风使舵的西海龙王立刻下令拔刀相助，一起杀犀牛。

最后，井木犴与孙悟空对待犀牛精的态度证明他们都是知情人。

眼看犀牛精后有追兵，前有拦路，已经无路可逃，孙悟空大喊："消停消停！捉活的，不要死的。"

孙悟空的目的是要把犀牛精带回金平府，让官员、百姓做个见证，以抬高他取经降妖的身价。摩昂太子则成人之美，率领虾兵蟹将把辟尘捆绑了。

可是，那井木犴却仿佛没有听到孙悟空说话，现出本相，大口大口地啃吃犀牛精中的老大辟寒。摩昂高叫："井宿，井宿！莫咬死他。孙大圣要活的。"就是这样，那辟寒还是被咬断了脖子。

三个犀牛精中，估计就是这辟寒负责与四值功曹接头，每年给玉帝传递香油。许天师在传递命令的时候，应该已偷偷告诉井木犴，务必把唯一知道内幕的犀牛精老大辟寒弄死。故此，无论摩昂如何高喊，井木犴依然要杀死辟寒。

然后，孙悟空带着一头死犀牛，牵着两头活犀牛，带着四位星宿来到了金平府。

孙悟空让猪八戒当众砍下辟暑、辟尘的头，然后锯下六根犀牛角。四根犀牛角让四木禽星带去，进贡给玉帝；一根留在金平府做了物证；一根留在取经队伍中，说到了灵山献给佛祖。

这千年犀牛精的角非常珍贵。听闻有四只角相送，“四星心中大喜，即时拜别大圣，忽驾彩云回奏而去”。孙悟空把战利品的大头送给玉帝，就是要向玉帝表明自己的诚意。孙悟空的意思是说，杀犀牛精并非他的本意，而是犀牛精祸害金平府千年，民愤极大；他们有辱佛派声誉，若不杀他们，如来也气愤难平。

只是，让如来大跌眼镜的是，孙悟空当众表态把最后一只犀牛角在上灵山时献给他，可是到了灵山后，唐僧师徒谁也没提犀牛角的事情。那珍贵无比的犀牛角，最终落入了取经团队的小金库中。

第二十六节　如来沉默

在金平府，因唐僧拜佛被抓，揭破了一桩存在千年的犀牛精扮佛偷油案。案件侦破期间，孙悟空上天入海，分别见到了太白金星、玉帝、二十八宿之四木禽星、西海龙王与太子魔昂等人。以上各色人等面对此事时都有精彩表现，充分展现了各自的立场。

奇怪的是，案发后名誉受到极大损害的灵山佛派高层始终寂静无声，没有任何人出来表态。别说如来没有出场，就连爱凑热闹的观音也毫无踪影。这是为何呢？

其实，不单是在案发后佛派高层没有表态，就是在案发前的一千年间，灵山高层明明知道妖精在眼皮底下肆虐，也依然选择了沉默。

为何说灵山高层早就知道金平府有妖精假扮佛祖偷取香油之事呢？

其一，金平府距离灵山极近。从金平府到达天竺国都，不过千里路程。从天竺国都到达灵山，不过两千里路程。对于动辄腾挪万里的仙佛来说，金平府扮佛偷油案犹如发生在眼皮底下一般。

其二，如来慧眼神通强大。如来多次说过，其慧眼神通强大无比，不但可以直接观照整个四大部洲，而且可以知道四大部洲一切事物的来历与根由。也就是说，只要如来略运神通，就可以听到金平府任何一位百姓说话，见到金平府中发生的任何事情。自然，犀牛精欺骗百姓的恶行也早就被如来掌握了。

其三，灵山有着严格的出入制度。自如来主事灵山以来，对佛派进行大力整顿，尤其对此前仙界普遍存在的散漫作风进行了大力整顿。

狮驼国事件中，孙悟空前往灵山拜见如来。因他心中气闷，到灵山山门前也不停留，直接闯了进去。没想到守护山门的四大金刚拦住他喝道："这泼猴甚是粗狂！前者大困牛魔，我等为汝努力，今日面见，全不为礼！有事且待先奏，奉召方行。这里比南天门不同，教你进去出来，两边乱走！咄！还不靠开！"

在西游世界中，如来乃玉帝麾下五方五老之一。灵山四大金刚相比南天门四大金刚，毫无疑问在品阶上要低一个档次。可是，在南天门都可以不用通传、直接闯入的孙悟空，在灵山却吃了瘪。

这是为什么呢？

我们看四大金刚所言，一是因为孙悟空不知感恩，无视四大金刚，让四大金刚很不快；二是灵山规矩森严，不像南天门。

像孙悟空拜见佛祖之事，必须由四大金刚先去禀奏，得到佛祖法旨召唤，孙悟空才能进入。其实，不单是孙悟空进入灵山需要佛祖法旨，所有灵山诸佛下山也同样需要领取法旨。否则，必定会被四大金刚拦截。

如来既然知道犀牛精在金平府作恶，此前一千年为何不出手制止呢？

一者，犀牛精虽然有假扮佛祖之罪，但也庇佑了金平府千年。

金平府老百姓和犀牛精这三个假佛达成了一份协议。按照协议要求，金平府每年提供香油一千五百斤，价值四万八千两银子；作为回报，犀牛精必须庇佑金平府一年，保证风调雨顺，没有任何灾情。

这份协议对于金平府百姓来说，是好事还是坏事呢？毫无疑问，这是好事。

金平府绝大多数百姓是纯粹的受益者，他们不需要缴纳一分钱，就可以享受到要风得风、要雨得雨的待遇。即便是负责提供香油的那二百四十户香油大户，压力其实也不大。毕竟每家只是轮流承担一年，即每二百四十年才轮到一次。若分摊开来算，每户每年只是提供香油六斤四两而已。

在车迟国，为了留下虎、羊、鹿三位仙师求雨，国王拜仙师为国师，为仙师修建三清观，赐给金银无数；在比丘国，三年大旱，饿死百姓无数，比丘国王为了招贤，拿出金银无数，更与仙师结成兄弟；在通天河，陈家庄百姓为了求得风雨，每年必须提供一对童男童女给灵感大王。

总之，要想求得风雨，必须付出相应代价。金平府地方广大、人口众多，犀牛精不过得到一千五百斤香油，却要保证偌大地方风调雨顺，人家也颇不容易。

二者，犀牛精背景深厚，如来也不敢触碰。

在西游世界，雨水是天庭专卖的稀罕物。任何人、任何地方想要降雨，必须得到玉帝批准。换言之，如来想要降雨，也必须得到玉帝圣旨，龙神方才会前来降雨。

而犀牛精区区三个妖精，竟然能保证一方风调雨顺，并且说到做到，千年间从无违约行为。这说明了什么？这说明犀牛精的背后必定有直通天庭的大人物撑腰，甚至就是玉帝本人在背后搞鬼。

既然犀牛精扮佛偷油并没有损害金平府百姓，并且其背景深厚，牵涉天庭高层，以如来处事之谨慎、虑事之周详，自然不会轻易出手。

如来要的是一旦出手便连根拔起，彻底斩断金平府与天庭的联系。

事实上，在犀牛精扮佛偷油案件中，佛派高层表面上看似无所作为，其实始终掌握主导权。

为何这么说呢？

第二十七节　揭破假佛

上文提到“佛派高层上表面看似无所作为，其实始终掌握主导权”。在原著中有没有相关的证据呢？

有。唐僧留宿慈云寺，孙悟空降伏犀牛精，这看似意外，其实是灵山高层的精心安排。

取经路上，唐僧念念不忘的是早一日到达灵山。师徒四人从来都是晓行夜宿，风雨兼程。即便在一些国家做出了些功业，得到国君与百姓的厚待，唐僧也从不敢贪恋。

可是在金平府时，唐僧竟然亲手打破了奉行半生的原则，在慈云寺住了下来，并且一住就是三天。

这三天中，唐僧师徒是不是有什么正经任务呢？根本就没有。书中对这三天有着详细的描写。第一天，唐僧师徒在慈云寺看灯；第二天，唐僧师徒在慈云寺后花园赏玩；第三天，唐僧白天在慈云寺扫塔，晚上去金平府观赏花灯。

总而言之，唐僧很纯粹地玩了三天。像在金平府这样毫无正当理由停步三天不走的现象，此前从未发生。

唐僧师徒尤其是一心向佛的唐僧，为何在慈云寺留住三天呢？我们且看原文：

“众僧并斋主款留道：‘老师宽住一二日，过了元宵，耍耍去不妨。’唐僧惊问道：‘弟子在路，只知有山有水，怕的是逢怪逢魔，把光阴都错过了，不知几时是元宵佳节？’众僧笑道：‘老师拜佛与悟禅心重，故不以此为念。今日乃正月十三，到晚就试灯。后日十五上元。直至十八九，方才谢灯。我这里人家好事，本府太守老爷爱民，各地方俱高张灯火，彻夜笙箫。还有个金灯桥，乃上古传留，至今丰盛。老爷们宽住数日，我荒山颇管待得起。’”

听了此话，“唐僧无奈，遂俱住下”。唐僧为何无奈？按照原文的意思，是因为众僧热情邀请，唐僧多年未过元宵节，于是才留住慈云寺。

事情真的是这样吗？

其实，唐僧的吃惊绝对是伪装的，他不可能不知道几天后就是元宵节。如果说唐僧师徒此前一直都是在荒山野岭中行走，根本就忘记了日子，那不记得快到元宵节还有可能。可事实并非如此。

金平府之前，是玉华州故事。当时，孙悟空三兄弟收徒一天，传功一天，打造兵器两天，斗黄狮精一天，斗九灵元圣两天，重新打造兵器数天，传授武艺数天，与玉华州诸王子告别后又“去有五六日程途”，方才到了金平府。

在玉华州故事中，虽然没有特意提到过年的情节，但从时间推算，唐僧师徒就是在玉华州过的年。就算唐僧再怎么一心参禅，也不可能感受不到玉华州王府中过年的气氛。

因此，唐僧留住慈云寺其实另有原因。什么原因呢？

因为有人告诉他必须留在慈云寺，等过了元宵节才能上路。

告诉他的人是谁呢？

要想搞清楚这个问题，首先必须明确唐僧身边的三十九位护法神分属于哪些派系。

唐僧身边的三十九位护法神在明面上都听从观音调遣，暗地里又为各自的主人服务。因为取经行动是灵山佛派主导的行动，所以护法神中佛派人数最多。六丁六甲与十八位护教伽蓝都属于佛派。而四值功曹与五方揭谛乃玉帝指派。尤其是金头揭谛，奉命日夜不离唐僧左右。五方揭谛都可以不经过天师通传，直接到灵霄殿面见玉帝，堪称玉帝心腹。四值功曹中的值日功曹则暗中又听从太白金星、太上老君命令，经常把取经团队的内幕消息禀告给这两位。

其次，在青龙山前，四值功曹与孙悟空的一番对话泄露了机密。

孙悟空追赶妖怪来到青龙山时，撞见四值功曹变化成四个凡人赶着三只羊匆匆行走。孙悟空上前拦住喝问他们为何不保护师父，如今赶着羊，却往哪里去。

四值功曹说："你师父宽了禅性，在于金平府慈云寺贪欢，所以泰极生否，乐盛成悲，今被妖邪捕获。他身边有护法伽蓝保着哩。吾等知大圣连夜追寻，恐大圣不识山林，特来传报。"

从这番话中，我们可以看出以下三点。

其一，四值功曹在撒谎。

这番话看似义正词严，其实是在隐瞒真相。四值功曹说自己担心孙悟空不知道道路，特意前来传报。可是他们不但没有主动找孙悟空汇报工作，反而变化成凡人模样赶着羊群，意图蒙混过关。他们是在孙悟空已经赶到青龙山且看破他们形迹的情况下，才说出妖怪是在此山之中。

其二，四值功曹对唐僧不满。

四值功曹对唐僧闲住在慈云寺三天非常不满。在他们看来，唐僧被妖怪抓纯粹是因为贪欢，放松了自身要求，受到折磨纯属活该。

其三，护教伽蓝保护唐僧。

在鹰愁涧故事中，原著特意提到了三十九位护法神之间的分工。原文说："丁甲、功曹、伽蓝轮次。我五方揭谛，惟金头揭谛昼夜不离左右。"也就是说，六丁六甲是一班，四值功曹是一班，护教伽蓝是一班，这三拨护法神轮流守护唐僧。因此，四值功曹离开唐僧有正当理由。

那么，四值功曹这番话说明了什么呢？四值功曹为何要撒谎？他们为何对唐僧不满呢？

只因犀牛精是玉帝手下。

玉帝掌管天下雨水，手中有丰富资源。但是按照常规程序的话，玉帝从中得到的利益极少。所以，另辟蹊径，将专卖资源利益最大化，成为玉帝的一个心愿。

于是，玉帝派出犀牛精下凡假扮佛祖，与金平府百姓签订契约。如此一来，玉帝只需大笔一挥，拿出天庭官方的雨水，就可以将许多香油纳入自己囊中。

犀牛精之事被撞破，玉帝的利益必然受损。于是，作为玉帝代表的四值功曹奉命出面弥补此事。干这种擦屁股的差事，四值功曹当然心怀不满。因此，对制造出这番混乱的唐僧与孙悟空，四值功曹牢骚满腹。

不过，牢骚归牢骚，屁股必须给玉帝擦干净。四值功曹在三个犀牛精到达青龙山的第一时间，就把三缸香油带走了，以至于后来猪八戒、沙僧搜刮妖洞时只有金银珠宝，丝毫不见香油。

也就是说，在犀牛精一案中，孙悟空其实是在没有贼赃的情况下，私自判处了犀牛精死刑。

至于四值功曹提到护教伽蓝，则表明他们其实明白是谁在暗中捣鬼。没错，提醒唐僧在慈云寺留住三天，过了元宵节再走的就是护教伽蓝。

取经路上，护教伽蓝其实多次出场。在车迟国，在祭赛国，他们都用托梦的方式告诉和尚们不要自杀、不要悲伤，等到取经僧人来到就可以解脱苦厄。

至于护教伽蓝为何要提醒唐僧，那是因为观音早有安排。而观音的安排，则又在如来的宏伟计划之中。

对于犀牛精一案，灵山高层绝对不可以亲自出面，否则必定会破坏天庭与灵山的良好关系。但是犀牛精在金平府肆虐，犹如一颗毒瘤，又必须切除。

于是，让得到天庭官方认可的取经团队出面，让背景深厚的孙悟空充当打手，借助天庭高层的内斗（玉帝和太上老君）除掉犀牛精，才是灵山佛派的最佳选择。

第二十八节　悟空之地位

孙悟空半生中最爱炫的，就是在天庭官拜齐天大圣。能够被称为“大圣”已经是牛气人物，名号中被冠以“齐天”二字更是三界罕有。

孙悟空当时究竟有多牛呢?

原著中曾说：“见三清称个‘老’字，逢四帝道个‘陛下’。与那九曜星、五方将、二十八宿、四大天王、十二元辰、五方五老、普天星相、河汉群神，俱只以弟兄相待，彼此称呼。”

这段话中列举的仙人并没有严格按照官衔、地位排列，不过也可以从中看出一些问题：三界诸多仙人中，能够被齐天大圣孙悟空视为尊长的，只有三清、玉帝、四帝。至于五方五老以下的诸多仙人，在齐天大圣孙悟空看来，与之平辈相交已经足以。

不过，以太白金星为首的天庭老官僚们，都知道孙悟空之所以被封为“齐天大圣”，只不过是玉帝施展的安抚手段。所谓“有官无禄”“有名无实”是也。

那么，孙悟空在天庭的实际地位究竟如何呢?

三清、四帝虽然是玉帝的臣子，但在天庭地位超然，远在群仙之上。即便是玉帝见了他们，也要起身相迎。可以说，三清、四帝才是真正的“齐天大圣”。

孙悟空与这些老前辈自然不能相比，那能与五方五老比肩吗？

在《西游记》中，五方五老乃是人间界统领一方的天尊级高人。有三位正面登场：现任西方佛老如来；南极观音菩萨；前任真武大帝，现改称九天荡魔祖师。

上文说孙悟空与五方五老以兄弟相称，是不是实情呢？

大闹通明殿时，孙悟空初见如来，询问他是何人；孙悟空与观音第一次见面，是在五行山脚下；在遭遇小雷音寺黄眉老怪时，孙悟空想到武当上有个荡魔祖师很厉害，于是前往寻访。

换言之，孙悟空在天庭为官期间，根本就没有见过这三位天尊。那以兄弟相称又从何谈起？可见，与五方五老兄弟相称之说，不过是原著作者站在孙悟空的立场上自吹自擂罢了，根本就不可信。

那么，孙悟空在天庭的地位与五老相比，又如何呢？

因怀疑黑熊精的出身，孙悟空第一次前往南海寻求观音帮助时，行了跪拜大礼。因青牛精的金刚琢过于霸道，孙悟空第一次去灵山向如来求助时，孙悟空也主动行了跪拜大礼。不同的是，以后孙悟空再见如来时，继续行跪拜之礼；而再见观音时，孙悟空只是合掌躬身，并不下跪。

当然，孙悟空对如来与观音之所以非常恭敬，一个重要的原因是二人不仅仅是五方五老，更是佛派尊长。这一点，我们可以从孙悟空对九天荡魔祖师的态度比较得出。

孙悟空来到武当山时，也不待人通报，直接闯入一天门、二天门、三天门。一直到太和宫前，孙悟空才被灵官拦住。孙悟空口中说："我乃齐天大圣孙悟空，要见师相。"灵官进入禀告，九天荡魔祖师当即下殿，亲自到太和宫宫门口迎接孙悟空，孙悟空躬身行礼说："我有一事奉劳。"

与如来、观音相比，九天荡魔祖师接待孙悟空的规格高了许多。

在拜见如来、观音时，孙悟空都是在山门前等候通传，根本不敢擅闯。接到通告后，如来会派出十八罗汉迎接孙悟空，观音会派出守山大神或者善财童子接待孙悟空，他们自己则稳坐大雄宝殿或潮音洞。

九天荡魔祖师却亲自到太和宫宫门前迎接孙悟空——当然，九天荡魔祖师比后面故事中提到的大圣国师王菩萨的地位又要高很多。那大圣国师王菩萨听说孙悟空前来，根本不敢久坐，在孙悟空走到第二道山门时，就已经匆匆前来迎接。

从此可见，孙悟空的地位确实比五方五老要低，但是低得并不太多。五方五老——即便是如来，也必须给孙悟空足够的尊重。要是惹火了孙悟空，即便面对的是如来，孙悟空也敢当面放刁。在狮驼国故事中，如来就被孙悟空又哭又闹搞得挺尴尬。

在孙悟空接触到的天庭仙人中，明确并公开对孙悟空表示不满且极端蔑视的，是四大天师中的葛天师。

因凤仙郡三年大旱，孙悟空上天求玉帝降雨。听闻情况，四大天师道："那方不该下雨。"孙悟空笑道："该与不该，烦为引奏引奏，看老孙的人情何如。”葛仙翁道：“俗语云：‘苍蝇包网儿，好大面皮！’”

在经历了青牛精的故事后，孙悟空逐渐认识到了玉帝与太上老君的强大，对二人越来越恭敬。不过在心底深处，孙悟空还是觉得自己挺牛，满天星宿都不如他。于是，他才会笑着说看看老孙的人情如何。

没想到葛天师一点也不给孙悟空留面子，直接嘲笑他不知轻重，自视过高。在葛天师眼中，所谓孙悟空的面子，也就和苍蝇一般微不足道。

这葛天师是什么来头，为何敢这么和孙悟空说话？

在民间神话中，这葛天师本名葛玄，以炼丹入道，成就天仙。在西游世界，这葛天师乃四大天师之一，位高权重。

四大天师负责在通明殿接待来访仙人，询问事由，由他们入灵霄殿禀奏玉帝。得玉帝旨意后，他们带领来人进入灵霄殿。简单来说，四大天师的主要工作就是上传下达。

在唐、宋、明时期，这种官职叫作翰林学士承旨，或者枢密都承旨等。他们的品级比宰相低，与封疆大吏相当。但因他们出入中枢，掌握机密，为皇帝近臣，权力极大。换言之，即便是如来见到四大天师，也必须矮他一头。

有如此权位，葛天师当然有资格鄙视名不副实的齐天大圣孙悟空。当然，孙悟空也不是好惹的。见葛天师把话说得过于直露，一旁的许天师截口说：“不要乱谈，且只带他进去。”

在西游诸仙中，与孙悟空兄弟相称、地位最高的是寿星老。

五庄观故事中，因推倒人参果树，孙悟空前往东海三岛寻访救树仙方。见到福、禄、寿三星，孙悟空说："老弟们，作揖了。"在比丘国降伏白鹿精的时候，孙悟空对赶来的寿星也是一口一个"老弟"。

要论年纪，寿星乃是蟠桃会上常客，号称神仙之宗，在仙界资历极老，其寿元与活了区区千年的孙悟空相比，绝对是其N倍。

那孙悟空为何赶着寿星叫老弟呢？

原因很简单，只因孙悟空修成了太乙混元金仙，神通广大。"我寿元不如你长，但我拳头比你硬。你不服也得服！"于是，活了N万年的寿星，被迫沦为孙悟空的老弟。

不过，寿星可从来没有称呼孙悟空为大哥。他见孙悟空时，一直都是称"大圣"。这个称呼，在尊敬当中又隐含着一丝冷漠。

寿星根本不甘心当孙悟空的老弟，只要有机会他必定训斥孙悟空。当听说孙悟空推倒了人参果树时，寿星就笑骂道："你这猴子，不知好歹！"听闻孙悟空被镇元大仙擒拿，寿星开心地说："你这猴儿，全不识人！你虽得了天仙，还是太乙散数，未入真流，你怎么脱得他手？"

被寿星如此嘲笑，孙悟空也没有丝毫恼怒。从此可见，寿星与孙悟空的地位当在伯仲之间。

不过，这只是平时论交。若在正式场合，尤其是有佛派仙人在场时，那地位又不同了。

在五庄观镇元大仙邀请诸仙吃人参果时，寿星座位仅次于观音，位在唐僧、孙悟空之上。在比丘国国宴中，寿星坐在上席，之后是唐僧，再之后才是孙悟空。

只因寿星乃六司之首，与观音、如来的地位大体相当，大家平辈论交。可孙悟空加入佛派后，成为如来的徒孙，一下子比寿星晚了两个辈分。

这也是看守灵山山门的四大金刚看不起孙悟空的重要原因——猴哥在天庭地位超然，可在佛派中辈分实在太低。

第二十九节　八戒淡定

猪八戒在天庭的地位极高，乃四圣之首。即便见到如来，他也是直呼其名。

在五庄观中，猪八戒见到了寿星。当时，孙悟空、镇元大仙，乃至观音，对寿星都是客客气气，颇为礼遇。那猪八戒呢？

原文说，听闻寿星到来，镇元大仙与唐僧立刻出门迎接。猪八戒却上前扯住寿星衣袖，口中说：“你这肉头老儿，许久不见，还是这般脱洒，帽儿也不带个来。”然后他把自家的和尚帽套到寿星头上，还拍手大笑说：“好，好，好！真是加冠进禄也！”

猪八戒对寿星的言行全无尊重，不但不够尊重，简直就是充满嘲讽。猪八戒为何对寿星如此敌视呢？我们继续看原文所讲：

寿星大怒，把帽子扔到地上，骂猪八戒：“你这个夯货，老大不知高低！”所谓夯货，就是力大无脑。猪八戒立刻反驳说：“我不是夯货，你等真是奴才！”猪八戒为何说福、禄、寿三星都是奴才呢？他笑着说：“既不是人家奴才，好道叫作添寿、添福、添禄?”

其实，猪八戒之所以嘲讽三星，是因为三星虽贵为东海三岛仙人领袖，寿星更是六司之首，在天界地位颇高，却对五庄观镇元大仙颇有阿谀之言行。加上寿星乃玉帝心腹，猪八戒却是太上老君门人，彼此派系不同，所以一见面二人自然是冷嘲热讽。

不过，我们也可以由此看出，在天庭序列中天蓬元帅猪八戒的地位当在六司之首的寿星之上。

取经路上，孙悟空经常骂猪八戒是呆子、是夯货，猪八戒则总是立刻回骂孙悟空是天杀的弼马温、闯祸的泼猢狲。孙悟空最厌恶的就是别人说他是弼马温、是猢狲，可是西天路上所有妖怪加起来，也没有猪八戒一个人说得多。

一个重要的原因是，猪八戒在天庭的地位与孙悟空相比只高不低。老猪在心底深处根本不惧孙悟空。也难怪，若从太上老君那里论起，猪八戒入门在先，他才是师兄。

在金平府对待二十八宿之四木禽星时，孙悟空、猪八戒、沙僧三人的不同态度，也可以说明三人在天庭的地位。

孙悟空一人无法降伏三个犀牛精，于是上天庭求救。玉帝派四木禽星下凡，助孙悟空降妖。

所谓四木禽星，就是角木蛟、斗木獬、奎木狼、井木犴。这四位星宿分别是东北西南七星宿的头领，是二十八宿中最强大的四位星宿。他们在天庭中居于九曜、十都、十二元辰之下，在天庭直属仙将中属于较低的存在。

当时，角木蛟与井木犴随同孙悟空追击犀牛精去了，奎木狼与斗木獬就进入妖洞杀散小妖，解救唐僧师徒。被解救后，唐僧跪地磕头，朝天礼拜，感激得不得了。沙僧也合掌行礼，表示感谢，并询问："二位如何到此相救？"

沙僧对奎木狼与斗木獬只是称呼二位，没有使用尊称，其表达谢意也仅仅是出于礼貌。反观奎木狼与斗木獬在回答时，却称沙僧为"卷帘大将"，可见沙僧的职位当比奎木狼与斗木獬要高。

不过，沙僧的职位比奎木狼等也高不了多少，更无法与孙悟空、猪八戒相比。何以见得呢？我们且看猪八戒与孙悟空对二星宿的态度。

在唐僧与沙僧向奎木狼、斗木獬表达谢意的时候，猪八戒毫无反应。他真实的神通绝对在二星宿之上，其之所以被犀牛精抓捕，纯粹是因躲避降妖工作。于是，被二星宿解救后，猪八戒没有丝毫感恩之心。

唐僧听完二星宿讲述后，再一次跪地磕头。一旁的猪八戒估计是觉得太丢脸了——谁让师父的辈分低，又是凡人呢，搞得他也没面子。于是，他一把扯起唐僧说："师父，礼多必诈，不须只管拜了。"

这猪八戒竟然告诉唐僧，对二星宿不必太感恩。为何呢？猪八戒说，二星宿下界降妖，一来是玉帝旨意，二来是猴哥的人情。换言之，二星宿本就该救出他们三人，要感谢也当感谢玉帝和孙悟空。

猪八戒如此说话，明摆着是蔑视奎木狼与斗木獬。可是奎木狼竟然回答说：“天蓬元帅说得有理。你与卷帘大将保护你师回寺安歇，待吾等还去艮方迎敌。”被猪八戒一番嘲弄，奎木狼竟然没有流露丝毫不满，还仿佛是向上级表态一般，说自己定会积极工作云云。

猪八戒的回答也是领导味道十足。他说：“正是。你二位还协同一捉，必须剿尽，方好回旨。”这猪八戒竟然在吩咐二星官，“务必”要剿灭干净妖怪，才能返回天界。而老猪自己呢，根本不去降妖。他与沙僧以护送唐僧为名，潇潇洒洒回转金平府慈云寺去了。

这猪八戒明明是个被玉帝明令贬斥下界、如今戴罪立功的前犯官，为何奎木狼、斗木獬对猪八戒如此低声下气呢？

只因猪八戒当年在天庭的地位实在太高了，简直就是奎木狼、斗木獬必须仰望的存在。也难怪，猪八戒乃是斗牛宫四圣之首并兼任天庭水军司令，而奎木狼只是斗牛宫万千星宿中一名普通将领。

再看孙悟空是如何对待二星宿的。

奎木狼、斗木獬这边刚忙完，就匆匆赶往西海。远远见到孙悟空，他们主动询问降妖情况。没想到孙悟空一见他们就大怒，劈头盖脸，把他们一顿臭骂。原文说：“行者恨道：‘你两个怎么不来追降？这会子却冒冒失失的问甚？’”

按照孙悟空的意思，奎木狼、斗木獬本应当随同自己一起追赶三个犀牛精。可这二星宿竟然莫名其妙失踪了，定然是偷懒去了。这也难怪，孙悟空身边一直都存在两个“猪队友”，经常坑人没商量。

奎木狼、斗木獬被冤枉了，也不敢生气，反倒耐心解释说，自己是为大圣考虑，担心唐僧安危，于是先去妖洞救出唐僧一众。那边一忙完，就立刻赶来帮忙。原文说："行者闻言，方才喜谢道：'如此，却是有功，多累，多累！'"

孙悟空得知真相后，立刻向奎木狼、斗木獬表示歉意，认可其功劳，感谢其辛苦。

相比猪八戒的淡定，孙悟空可落了下乘。真正的高人，就是要在最落魄的时候，也要有目空一切、风轻云淡的气度。

第三十节　布金禅寺

唐僧师徒离开金平府后，走了半个月，来到天竺王城外的布金禅寺。

布金禅寺在佛典中非常有名。因猪八戒、沙僧询问，于是唐僧给他们讲述布金禅寺的来历。

据说，当年有一个崇奉佛法的大施主，叫作孤独长者，一心要请佛祖来舍卫城说法。那城中风景最美的地方叫作给孤园。孤独长者觉得，只有让佛祖在最美的给孤园说法，才能表达自己对佛祖的无上崇敬。

可是，给孤园的拥有者乃是舍卫城太子。他本就是个不差钱的主，听闻孤独长者要买他的园子，就信口开河说："我这园不卖，他若要买我的时，除非黄金满布园地。"没想到孤独长者真的以黄金为砖，铺满整个园林。太子震惊不已，这才将给孤园卖给孤独长者。

那孤独长者在给孤园修建了一座寺庙，恭请佛祖降临。如来在给孤园寺说法多日，方才离去。

在讲述这个故事的时候，唐僧面容严肃，语气中充满崇敬。在晚间夜游给孤园旧址后，唐僧更赋诗一首："忆昔檀那须达多，曾将金宝济贫疴。祇园（给孤园又名祇园）千古留名在，长者何方伴觉罗？"

只是，在取经团队中发思古之幽情、叹世事之沧桑的唯有唐僧。听了布金禅寺的往事，猪八戒拍手叫好，欢喜无限。

猪八戒为何高兴呢？

猪八戒说："造化！若是就是这个故事，我们也去摸他块把砖儿送人。"与唐僧慨叹佛法无边不同，猪八戒所能想到的是给孤园遍地黄金，他可以从中发一笔横财。

见猪八戒如此玩闹，唐僧一脸无奈，沙僧与孙悟空则哈哈大笑。他们二人虽不像猪八戒那么贪财，可对所谓佛祖、佛法，也远不如凡间男女那么崇拜。

事实上，不仅是猪八戒听了布金禅寺的故事只是想到金银，大多数人，包括布金禅寺的和尚们，都渴望能从给孤园旧址中翻出金银，得到意外财富。

布金禅寺的主持告诉唐僧，给孤园的故事确实是真的。据说在前些年大雨滂沱时，还能从石缝间冲出些许金银珠玉，让有缘人得到。

猪八戒一听，双眼放光，催促师父快去游览旧址。可等到他们赶到布金禅寺后院，见到那所谓给孤园旧址时，全都呆住了。那给孤园旧址中，别说找不到黄金砖头，就连普通的石砖石瓦都没有。昔日辉煌壮丽的寺庙，如今只剩下一块白地。

几千年来，估计有成千上万的人来到给孤园捡砖头。猪八戒，你来得太晚了！

在《西游记》中，引用或化用了不少传统神话、宗教故事。但经过作者改编，其内涵与最初相比已经发生了巨大变化。

在布金禅寺的故事中，唐僧看到的是信徒对佛法的崇奉，猪八戒看到的是意外财富。那么，作者借布金禅寺的故事想要表达什么呢？

在介绍布金禅寺的故事之前，与每次到达一个新地方一样，有一段唐僧与孙悟空之间的辩争。这次辩争与以往有相似，更有不同。

和以往一样，唐僧见到远处有高山，又一次惊慌不安道："徒弟，那前面山岭拱峭，是必小心！"

和以往一样，孙悟空安慰唐僧不必忧心，一切有他。

和以往一样，唐僧表示自己不能不忧心——谁让孙悟空虽每次都保证没事，却总是出事呢！

和以往一样，孙悟空批评唐僧说："师父，你好是又把乌巢禅师《多心经》忘记了也？"

和以往一样，唐僧表示自己时刻没有忘。

和以往不一样，孙悟空教训唐僧只会念经，不会解经。唐僧生气了，难道你会解？孙悟空微笑道："我解得，我解得。"从此后就一直沉默。

和以往一样，猪八戒、沙僧笑翻，嘲笑猴子就知道吹牛。

和以往不一样，唐僧慨叹："悟能、悟净，休要乱说。悟空解得是无言语文字，乃是真解。"

唐僧这话是什么意思？

在《道德经》中有一句话叫作"道可道，非常道"。所谓道法，所谓佛法，都是对天地规则的一种解读。这种解读很难准确描述，一旦用语言文字明确下来，就会将天地规则局限到一个很小的范围。

很明显，作者是借唐僧之口告诉大家，在看下面故事的时候，千万不要被表象迷惑，真解恰在无言中。

是说佛法无边，让信徒虔诚供奉？是嘲讽像猪八戒一样的凡俗之辈，只知道贪恋金银？是批评佛祖摆架子、讲规格，不用黄金铺地不来讲经？

以上都不是。前两样只是表象，即便是第三样也非真解。如来可并没有要求孤独长者如此安排，在讲经之后也没有带走一分金银。在宗教故事中的如来，与西游世界中的如来大不相同。

那么，布金禅寺故事的真解到底是什么呢？

当唐僧师徒走入布金禅寺后，许多和尚都来围观。按照道理，大家来看唐僧师徒，重点当是赞叹其西行取经，积攒下无边功德；仰慕其心性坚定，历经磨难不改初衷。事实上，布金禅寺的和尚一半在说唐僧服饰华丽（穿上了锦襕袈裟，拿起了九环锡杖），一半在说猪八戒吃相神奇，一碗一碗往嘴里丢——根本没有一人关注取经之事。

在吃饭时，还有一个细节很有意思。

因众人围观，沙僧捏了一把猪八戒，提醒道："斯文！"让猪八戒慢点吃，别出丑。没想到猪八戒急得叫起来，大声嚷嚷说："'斯文！''斯文！'肚里空空！"猪八戒一向是个现实的人，贪财好利，对于色欲与食欲，也从来不去掩饰。要想让猪八戒装出斯文模样却饿肚子，他可不愿意。

沙僧也不恼，笑道："二哥，你不晓的。天下多少'斯文'，若论起肚子里来，正替你我一般哩。"一听沙僧这话，猪八戒沉默了，只是吃了个半饱，就放下了筷子。

沙僧这话是什么意思？这话是说，天下间那些壮丽巍峨的事情大多与表象不同，貌似斯文，其实肚里空空。

沙僧这话大有道理。就如同《西游记》中描绘的唐皇李世民，世人都说他是爱民如子的明君，为超度无辜百姓派出高僧前往西天取经。谁又知道，其实是李世民自己造下冤孽，害怕被冤魂索命，不得已才举行法事，派人取经。

而所谓公正廉明的阎罗地府，其实也是个弄权徇私之地。孙悟空一顿棍棒，就可以抹去名录，从此不受地府拘束，就连他麾下众多猴精也从此长生不老。判官崔府君本是大唐官员，见本朝皇帝李世民来到地府，不但主动前往迎接，还擅自为李世民增添二十年阳寿。这些，让循规蹈矩的芸芸众生情何以堪？

而在此后，经由布金禅寺百岁老僧之口，道出天竺国真假公主一事。

于是，所谓布金禅寺的真解，也就浮出水面。

作者是要告诉我们，布金禅寺的故事，在最初与现在，在佛典中与《西游记》中，都有着截然不同的意义——看事情千万不要被表象迷惑，天下斯文事情多半肚里空空。

天竺国真假公主案也是如此。

那么，作者苦心铺垫方才引出的天竺国真假公主故事，在表象背后又隐藏着怎样的真相呢？

第三十一节　作践公主

唐僧师徒来到布金禅寺后，一位百岁老院主主动前来求见。这位老院主屏退众人，告诉了唐僧师徒一个惊天秘密：

“旧年今日，弟子正明性月之时，忽闻一阵风响，就有悲怨之声。弟子下榻，到祇园基上看处，乃是一个美貌端正之女。我问他：‘你是谁家女子？为甚到于此地？’那女子道：‘我是天竺国国王的公主。因为月下观花，被风刮来的。’我将他锁在一间敝空房里，将那房砌作个监房模样，门上止留一小孔，仅递得碗过。当日与众僧传道：‘是个妖邪，被我捆了。’但我僧家乃慈悲之人，不肯伤他性命。每日与他两顿粗茶粗饭，吃着度命。那女子也聪明，即解吾意，恐为众僧点污，就装风作怪，尿里眠，屎里卧。白日家说胡话，呆呆邓邓的；到夜静处，却思量父母啼哭。我几番家进城乞化打探公主之事，全然无损。故此坚收紧锁，更不放出。今幸老师来国，万望到了国中，广施法力，辨明辨明。一则救援良善，二则昭显神通也。”

乍一看此事，我们会觉得这个老和尚很善良，冒着得罪妖怪的风险，收留了真公主。在故事最后，这个老和尚也得到了国王的许多赏赐。他本人被封为“报国僧官”，世袭罔替，并且有俸禄三十六石。由天竺国工部出钱，重修布金禅寺，并亲自赐名为“敕建宝华山给孤布金寺”。可以说，这百岁老僧名利双收，堪称天竺国真假公主故事中最大的受益人。

实际上，我们仔细推敲就可以发现，老和尚的话语中存在很多破绽。在简单的救命与报恩的故事背后，潜藏着一个可怕的真相。诸多破绽中，最明显的一个破绽是真公主的表现。

在后文，唐僧向天竺国王介绍时说：“（公主）日间胡言乱语，讨些茶饭吃了；夜深无人处，思量父母悲啼。”天竺国王听到女儿日子过得如此艰辛，已经痛苦不堪。他怎么又能想到唐僧还美化了许多。公主的真实生活是“装风作怪，尿里眠，屎里卧”。唐僧根本不敢如实汇报。

那么，究竟为何公主要如此作践自己？究竟是什么让她如此害怕？是妖怪吗？

公主身为凡人，对事件的前因后果并不熟悉。我们看看知晓过去、现在的太阴星君是如何述说的：“那国王之公主，也不是凡人，原是蟾宫中之素娥。十八年前，他曾把玉兔儿打了一掌，却就思凡下界。一灵之光，遂投胎于国王正宫皇后之腹，当时得以降生。这玉兔儿怀那一掌之仇，故于旧年走出广寒，抛素娥于荒野。”

原来，真公主的前世是月宫里的素娥（即嫦娥，为太阴星君之侍女）。估计她就是负责喂养玉兔的侍女。因为某个原因——或许是玉兔不乖乖吃饭——素娥打了玉兔一巴掌。那玉兔可不是普通兔子，乃是太阴星君唯一且深爱的宠物。且那玉兔早就通灵，可以与人交流，幻化人形。素娥担心玉兔会找太阴星君告状，于是私自下界，躲避灾祸。那玉兔为了报一掌之仇，就下界为祸，把真公主扔在荒郊野外，自己却化身公主，鸠占鹊巢。

若按照太阴星君的说法，素娥与玉兔之间的恩怨到此应该已经消除，玉兔没有必要再进一步迫害真公主了。

我们再看真公主所说：她乃是在月下观花之时，被一阵狂风刮到布金禅寺给孤园旧址之上。也就是说，真公主根本就没有见到妖怪。并且，她虽然被风刮出了皇宫，但身体没有受到任何伤害，并且很快就遇到了收留她的布金禅寺老和尚。

真公主即便对未知的祸首有所害怕，但也完全没有必要在之后整整一年时间中睡在屎尿当中。

原文老僧介绍说：“（公主）恐为众僧点污，就装风作怪。”那是众僧可能祸害真公主吗？

太阴星君说，素娥是被抛弃在荒野之中。老僧也表示，自己是在月下行走时，偶然在给孤园废墟中看到了真公主。也就是说，除了老僧，寺里并没有其他人见到过真公主。

之后，老僧把真公主锁在一间非常偏僻的房子中，那房子四面封闭，犹如监牢一般，唯独一面有一个可容纳一个碗那么大的洞口。也就是说，从外面根本就看不清里面的情况。

老僧更告诉布金禅寺众人，监牢中关押的是一个妖怪，切莫与其交谈，否则必有大祸。于是，即便是前来送饭的那个小和尚，也不知道房子中关着的是谁。

在玉兔精被抓，孙悟空引天竺国王来到布金禅寺时，原文说："众僧才知后房里锁得是个女子。一个个惊惊喜喜。"由此可见，布金禅寺的和尚——除了老僧，根本就不知道牢房中是个年轻女子。

自然，布金禅寺的和尚们也不会去玷污真公主。

由以上分析可见，既没有妖怪逼真公主，也没有和尚要强暴她。虽然玉兔精在天竺国扮成了公主，让真公主无法回归，但是真公主也完全可以在布金禅寺安安静静、舒舒服服地隐居一年，等到时机，再作打算。

究竟为何真公主作践自己，日夜生活在恐惧之中呢？

其实，真正害惨公主的不是未知的妖怪，不是布金禅寺的寻常和尚们，而是那个"救"了她的百岁老和尚。没错，这布金禅寺的老院主名为救公主，实际上是把真公主圈禁了一年。在这一年时间里，老院主没少对真公主"威逼""恐吓"。正因为老院主，真公主才日夜忧惧，不得不尿里眠、屎里卧，以躲避祸患。

为何如此说呢？我们分析下老僧本人的说辞就可以明白。

在听闻真公主讲述后，一般人会如何应对？

首先，大家会不信。公主不都是住在深宫之中吗？怎么会来到这荒凉的给孤园旧址中？

然而，只要稍有耐心，大家就会接受真公主的说法。因为真公主一身服饰华贵异常，身上随便拿出什么首饰，都是制作精巧，质地非凡。何况，真公主出身豪贵，谈吐不俗，自然会有一股雍容气度。

以百岁老僧之见识，他会判断不出真假？这老和尚虽然人老，可是脑袋一点不糊涂。他不但不糊涂，而且说话、做事都极为精明。

初见唐僧时，老僧询问唐僧年岁。唐僧答了，也询问老僧高寿。老僧颇为自得地说，比唐僧年长一甲子。一旁的孙悟空插嘴说，你今年一百零五岁，你看我多少年纪。

此前，孙悟空也问过别人这个问题，别人大都说孙悟空年纪轻。可布金禅寺这老僧说："师家貌古神清，况月夜眼花，急看不出来。"他说话非常圆滑，既不说孙悟空年岁比他大，也不说年岁比他小。孙悟空听了，也无法刁难他。

按照常理，老僧既然知道眼前公主是天竺国真公主，就应当以礼相待。即便真假难定，为稳妥起见，应将真公主保护起来。但是这保护绝不是把公主关闭在一个监牢中，更不是让公主过上非人的痛苦生活。

老僧如此安排，必然另有玄机。

更何况，老僧是在初次见到公主时就做出幽禁决定，并宣布公主是个妖怪。在把公主关起来之后，老僧才"几番家进城乞化打探公主之事，全然无损。故此坚收紧锁，更不放出"。

老僧处理这件事情非常慎重，非常隐秘。他是亲自到城里，以化斋的方式打探真假公主一事。

在得知皇宫中根本没有公主走失的消息后，一般人会怎么做？

既然皇宫中有公主存在，那眼前的自然是冒充公主的疯女人。贪财的，会把冒充公主的疯女人送到官府，领取赏钱。怕惹事的，也当把冒充公主的疯女人一送了之。可是，老僧把公主关押得更紧了。

老僧看出皇宫中的公主是假冒的了吗？

是的，老僧在初见真公主时，就已经认定眼前的公主是真的，而皇宫中的公主是妖邪所化。

在这种情况下，真公主是不是就没有返回王城的可能呢？

并非如此！老僧可以带着公主到天竺国王城找寻机会——比如拜见哪位认识真公主的王公大臣，拜托他转告国王、王妃；比如让国王、王妃到寺庙上香，借机让公主与国王相认。玉兔精的变化并没有达到圆融境界，必定有破绽。并且，变化之术即便再神奇，也不能复制记忆。总之，只要国王意识到女儿可能是假的，就有机会辨明真相。

可是，老僧采取的是最笨的办法——继续关押真公主。此后一年间，老僧再也没有采取任何营救措施，只是任凭公主睡在屎尿中。

老僧为何要如此做呢？

只因他必须关押公主到唐僧师徒到达的那一天。

这老僧极有可能在见到真公主之前，就已经得到佛派仙人托梦通告——几天后，给孤园旧址中会落下一个女子，你必须把她关押，等候东土取经僧到来。

唯有如此，才能经由孙悟空之手，完成玉兔精之劫难。

在这一年间，真公主必然会千百次想要逃出牢笼，但是老僧必然会告诉她，外面妖邪众多想吃她，更有无数淫邪男人想侮辱她。公主忧惧不已，才尿里眠、屎里卧，让自己变得丑陋不堪。

其实，不仅老僧是取经计划中的一环，就连玉兔精何时出现，何地抛下真公主，何日唐僧赶到布金禅寺，一切都早有安排。

何以见得呢？

原文曾说：“（一年前）公主在御花园月夜赏玩，惹动一个妖邪，把真公主摄去，他却变做一个假公主。知得唐僧今年、今月、今日、今时到此，他假借国家之富，搭起彩楼，欲招唐僧为偶。”

大家看到了吗？玉兔精不但精确地知道唐僧是在某月、某日会赶到天竺国，并且连到达的时辰都了解得一清二楚。

是玉兔精神通广大吗？

当然不是！只因“降妖伏魔一场戏”，作为天竺国这场戏的女一号，早就有跑龙套的助理们（护教伽蓝诸仙）把唐僧师徒的消息在第一时间告诉了玉兔精。于是，玉兔精才会在去年某日掳走真公主，真公主也才会被圈禁刚好一年。整整一年后的某天，唐僧到达。第二天，唐僧来到天竺国王城。

一切都是按照剧本在走。

玉兔精是知情人，老僧也是知情人，孙悟空与唐僧虽然没有得到通告，但也猜到了剧情走向。唯独那个苦命的公主，被诸位仙佛玩弄，毫不知情。

为了让唐僧凑满八十一难，佛派高层不惜设局，将转世投胎、纯真无邪的天竺国公主关押一年，可谓费尽心机。

第三十二节　玉兔下凡

唐僧师徒离开布金禅寺，来到天竺国都城。在都城中，唐僧被玉兔精所化公主的绣球砸中，选为驸马，从而引发孙悟空与玉兔精的一番大战。

那么，玉兔精为何下凡出现在灵山脚下的天竺国都城呢？

关于这个问题，太阴星君和玉兔精给出了两种不同的答案。

在《西游记》中，月宫中不是住着嫦娥、玉兔、吴刚，而是住着太阴星君（九曜之中的月星、月神）与宠物玉兔，还有诸多侍女。侍女们叫作嫦娥、姮娥或素娥。

太阴星君如此介绍玉兔精下凡原因：“与你对敌的这个妖邪，是我广寒宫捣玄霜仙药之玉兔也。他私自偷开玉关金锁，走出宫来，经今一载。我算他目下有伤命之灾，特来救他性命。望大圣看老身饶他罢。”“那国王之公主，也不是凡人，原是蟾宫中之素娥。十八年前，他曾把玉兔儿打了一掌，却就思凡下界。一灵之光，遂投胎于国王正宫皇后之腹，当时得以降生。这玉兔儿怀那一掌之仇，故于旧年走出广寒，抛素娥于荒野。”

在太阴星君的介绍中，那玉兔精之所以私自打开广寒宫门来到凡间，是因为偿还因果。十八年前，有一位月宫侍女不知道什么原因和玉兔发生了纠纷，侍女一怒之下打了玉兔一巴掌。玉兔因此怀恨在心。那侍女为了躲避玉兔的迫害，偷偷下凡，转世投胎，成为天竺国公主。玉兔精找寻了十七年，终于在去年打探到侍女的下落。于是玉兔也下凡来到天竺国。她驾风掳走真公主，把她扔在野外，自己则变化为公主，入宫享福。

在太阴星君出现前，孙悟空询问过玉兔精下凡为妖的原因。玉兔精的回答，和太阴星君完全不同。

玉兔精是这么回答的："因为爱花垂世境，故来天竺假婵娟。与君共乐无他意，欲配唐僧了宿缘。"

玉兔精提出，自己之所以下凡有两个原因。

其一，玉兔精喜欢天竺国的环境，这里繁花似锦，非常美丽。书中写孙悟空与玉兔交战时，有诗文说："一个因取真经到此方，一个为爱奇花来住迹。"玉兔精口中的爱花，和作者旁白中的爱奇花完全符合。

在玉兔精的叙述中，那天竺国的真公主根本就不是什么月宫素娥，她也和真公主并没有什么前世冤仇。她完全是因为喜欢天竺国王城的奇花异草，于是就取而代之。

其二，玉兔精与唐僧有前世姻缘，故此特意下凡。

当孙悟空亮明齐天大圣的身份时，玉兔精愤愤然说："我认得你是五百年前大闹天宫的弼马温，理当让你，但只是破人亲事，如杀父母之仇，故此情理不甘，要打你欺天罔上的弼马温！"玉兔精一口咬定自己与唐僧乃是姻缘前定。和其他想要夺取唐僧元阳的女妖不同，玉兔精认定自己是合理合法的。

太阴星君与玉兔精的介绍如此不同，那么究竟谁的话才是真的呢？

人们为何要撒谎？因为撒谎可以隐藏真相，可以为自己争取到最大的利益。

我们看看太阴星君是在什么场景下说出那番话的。原文说："正在危急之际，却又天色晚了。这行者愈发狠性，下毒手，恨不得一棒打杀。忽听得九霄碧汉之间有人叫道：'大圣，莫动手！莫动手！棍下留情！'"

当时，孙悟空和玉兔精交战已经占得绝对上风，并且因为久战不下，孙悟空发狠想要一棒子打死玉兔精。在万分危急的情况下，太阴星君才出场。

太阴星君要想在孙悟空的棒下救出心爱的宠物玉兔，光凭一点面子还不成，还必须让孙悟空认可那玉兔精作乱其情可悯，其行可谅。

在孙悟空看来，玉兔精犯下两桩大罪：其一，迫害并假扮公主；其二，想与唐僧成婚，取其元阳。

于是，太阴星君强调，那真公主本是月宫素娥，和玉兔有前世冤孽。既然有了前因，自然就会有后果。玉兔精在今生把公主丢到野外，自己假扮公主，就不算什么罪过了。而至于她想要取唐僧元阳，确实不该。太阴星君强调："幸汝留心，识破真假，却也未曾伤损你师。"既然唐僧没有任何损伤，那第二个罪名自然也不成立。

也就是说，太阴星君所说玉兔精下凡的理由，根本就是为玉兔精开脱罪责扯的谎。太阴星君很会撒谎。果然，孙悟空听后说："既有这些因果，老孙也不敢抗违。"

那么，玉兔精有没有撒谎呢？有的，她口中的两个理由都是谎言。

其一，玉兔精说自己喜欢天竺国的奇花，可是在三回故事中，没有任何地方强调玉兔精特别钟情什么花。在孙悟空与玉兔精大战时，原文说：

"刮折牡丹欹槛下，吹歪芍药卧栏边。沼岸芙蓉乱撼，台基菊蕊铺堆。海棠无力倒尘埃，玫瑰有香眠野境。春风吹折芰荷梈，冬雪压歪梅嫩蕊。石榴花瓣，乱落在内院东西；岸柳枝条，斜垂在皇宫南北。好花风雨一宵狂，无数残红铺地锦。"

这番话是什么意思？

御花园中各种奇花，因为孙悟空与玉兔精大战，被摧折得东倒西歪，落花满地。孙悟空从来都不是爱花惜花之人，打斗时自然毫不在意。可是玉兔精不是号称最爱花的吗？为何还放纵孙悟空如此大搞破坏呢？

作者就是借这段描述告诉大家，玉兔精根本就不是什么爱花之人。她在撒谎。

其二，唐僧和玉兔有什么前世姻缘呢？

原著中经常强调，唐僧乃是十世修行的童男子，元阳未泄。金蝉子每一次转世都是当和尚，并且都在人间。而太阴星君说得明白，玉兔精是一年前才偷偷下凡，此前一直都在广寒宫中。如此天人隔绝，玉兔精不可能和唐僧有什么前世姻缘。而至于为何认为与唐僧有前世姻缘，我们后文会详述。

那么，玉兔精下凡的真正原因是什么呢?

玉兔精的故事在原著中一共三回。第一回写的是唐僧到达布金禅寺，寻访当年舍卫国给孤园遗址的故事。这一回看似平淡，其实隐藏了玉兔精下凡的真正原因。

作者吴承恩花了一回写给孤独长者为了尊崇如来，为了弘扬佛法，下了血本，费尽心思的故事。

而如来、观音为了搞好取经行动，则苦心策划了五百年。九九八十一难中的绝大多数磨难，都是早就定好的。为何要花这么久时间？那就是要与各方势力反复协商，保证各方的利益。

太阴星君乃九曜星之一，为太上老君麾下骨干成员。我们在前文说过，太上老君早就和观音联盟，在许多地方都尽量配合观音行动。派出太阴星君制造一难，就是太上老君和观音反复商定的结果。

在最初的方案中，太阴星君只是告诉玉兔精下界到天竺国当公主一年，时间到了就可以回到天庭。而摆脱罪责的理由就是天竺国真公主和玉兔有前世冤仇。

正因为早有安排，玉兔精才会把真公主丢在布金禅寺——这座寺庙有着非常重要的象征意义。只要唐僧团队一到，孙悟空降伏玉兔，送还真公主，取经团队就立下大功一件，而玉兔精也可以顺利回到天界。

在整个玉兔精故事中，有两方人马得到明显实惠。

一方是布金禅寺的和尚。原文说："改山名为宝华山，仍着工部办料重修，赐与封号，唤做‘敕建宝华山给孤布金寺’，把那老僧封为‘报国僧官’，永远世袭，赐俸三十六石。僧众谢了恩，送驾回朝。公主入宫，各各相见。安排筵宴，与公主释闷贺喜。后妃母子，复聚首团圞。国王君臣，亦共喜，饮宴一宵不题。”

因为保护真公主有功，山名改为宝华山，由国王拨专款重修布金禅寺，并且方丈成为永远世袭的报国僧官。可以想象，这布金禅寺在不久的将来必然成为天竺国第一大禅寺，而佛派也必然随之昌盛。

另一方是唐僧取经团队。原文说：“国王传旨，召丹青图下圣僧四众喜容，供养在华夷楼上。又请公主新妆重整，出殿谢唐僧四众救苦之恩。谢毕，唐僧辞王西去。”

天竺国王亲眼见证孙悟空与妖怪在天宫打斗，又见到孙悟空竟然和天上月神平辈论交，很是震撼。此刻，他把唐僧、孙悟空等人的画像供奉，就等于是公开宣布，天竺国王室从即日起崇奉佛派。

可以说，太上老君、太阴星君、观音的方案非常有效。只是他们没有想到，执行者玉兔精中途起了歪心，导致行动差点脱轨。

第三十三节　玉兔罪名

孙悟空针对玉兔精提出了两大控罪：其一，掳走真公主，假合真形，鸠占鹊巢；其二，强纳唐僧为驸马，欲取元阳成就太乙金仙。

玉兔精乃是太阴星君的宠物，既然太阴星君已经下界，她当然不会让孙悟空打死玉兔精。不过，太阴星君虽然成仙时间远过孙悟空，职位却在孙悟空之下。她必须给孙悟空一个交代。

于是，太阴星君解释说，玉兔精掳走真公主并鸠占鹊巢，是为了结当初与素娥的一掌之仇。既然事出有因，那么玉兔精之举就情有可原。

对于孙悟空的第二项控罪，太阴星君说："但只是不该欲配唐僧。此罪真不可逭。幸汝留心，识破真假，却也未曾伤损你师。"玉兔精欲取唐僧元阳事实俱在，太阴星君只好从罪行没有成功处下手，劝孙悟空看她面子放过玉兔精。

这里就有一个问题：就连太阴星君都不敢招惹孙悟空，那玉兔精为何敢诱骗唐僧，破坏取经行动呢？

如果说天竺国故事发生在取经前期，还可以理解。当时西天妖怪多数并不知道孙悟空之可怕、取经团队背景之深厚。可到了天竺国前后，西天路上为了唐僧折损的妖王数以十计。可以说，唐僧看似香甜可口、人人可欺，其实是个超级大杀器，绝对属于妖见妖死、怪见怪亡的主儿。玉兔精为何胆大包天，敢去撩拨取经团队？

只因有人告诉玉兔精："你与唐僧有前世姻缘，今生该为夫妻！"

玉兔精和孙悟空大战时曾经说："我认得你是五百年前大闹天宫的弼马温，理当让你。但只是破人亲事，如杀父母之仇，故此情理不甘，要打你欺天罔上的弼马温！"

为何玉兔精说孙悟空破坏她的婚事就是欺天罔上呢？

只因有人告诉她，她与唐僧的姻缘乃是上天注定。孙悟空再狠也狠不过老天。老天注定的最大。

原著描述双方大战时，有一句诗歌为证："那个为结婚姻降世间，这个因保唐僧到这里。"

大家看明白了吗？玉兔精下凡的原因其实有两个：一个是了结与素娥的一掌之仇，一个是为了与唐僧成婚！

这个告诉玉兔精可以放心大胆与唐僧成婚的人是谁呢？

玉兔精大半生都生活在广寒宫中。广寒宫门规森严，非有法旨无法外出——素娥与玉兔精其实都是太阴星君暗中放出，才得以下界。

自然，告诉玉兔精消息的唯有太阴星君。正因为是主公告诉她可以与唐僧成婚，玉兔精才会大胆地以抛绣球方式公开招纳唐僧为驸马。

至于与唐僧成婚可成就太乙金仙这个流言，则当是由唐僧的护法神们泄露给玉兔精的。

在无底洞老鼠精故事中我就分析过，取唐僧元阳可成就太乙金仙之说源自灵山，目的是让女妖们铁了心去抓捕唐僧。同样，也是为了给孙悟空要降伏的女妖增加一项控罪。

若女妖真是为了爱情留下唐僧，那孙悟空还真不方便把人家打死。只有把女妖挽留唐僧的目的变得不纯粹乃至肮脏不堪，孙悟空才方便挥舞金箍棒。

玉兔精虽然是只宠物，却是只具有过人智慧且有不俗神通的妖仙。若太阴星君直接告诉玉兔精，你下界去抓捕唐僧吧！玉兔精铁定不愿意干。当年玉兔精可是听闻过孙悟空如何威风。即便是猪八戒，在广寒宫也有不小威名。在正常情况下，玉兔精根本不敢接受这种烫手任务。

于是，太阴星君必须给玉兔精一个诱饵，让玉兔精甘冒奇险。这个诱饵就是唐僧与玉兔精有前世姻缘，下界成婚是上天注定的。

既然主公如此说，玉兔精心中就有底了。加上唐僧身边的护法神不但把唐僧的行踪告诉玉兔精，还把取唐僧元阳可成太乙金仙的机密也泄露出来，这下玉兔精当然就更有干劲了。

话说孙悟空以火眼金睛看破玉兔精妖形，于是冲上前去，一把扯住玉兔精。孙悟空的鲁莽行动让唐僧大吃一惊，可是接下来玉兔精的举动则让国王、妃嫔以及唐僧师徒等在场的所有人都大跌眼镜。

原文说："却说那妖精见事不谐，挣脱了手，解剥了衣裳，捽捽头，摇落了首饰……急转身来乱打行者。"

玉兔精在打斗之前为何要脱掉自己的衣服，丢下自己的首饰，全身赤裸来战孙悟空呢？

莫非这是妖怪打斗的习惯？可此前从没有一个妖怪是特意脱了衣服再与孙悟空打斗。那是玉兔精想要色诱孙悟空？可后文中玉兔精一直与孙悟空殊死拼杀，并没有一处使用美人计。

我们继续看下去，就会明白玉兔精之用意。

原文说："他两个杀在半空赌斗，吓得那满城中百姓心慌，尽朝里多官胆怕。"那玉兔精光着身子打斗的模样，不但王宫中国王、妃后看到了，而且天竺国王城中万千百姓也亲眼所见。

妃子中有些胆大的，拿公主的衣服、首饰给王后看，说："这是公主穿的，戴的，今都丢下，精着身子，与那和尚在天上争打，必定是个妖邪。"

在古代，无论是女人还是男人，看到一个裸女在公共场合奔走打闹，第一反应就是那裸女是个妖邪。更别说那裸女在空中与一个和尚打斗了。这场景别提多邪乎了，估计天竺国无数百姓会念叨一辈子。

大家现在明白了吧，玉兔精之所以要脱光了衣服来打斗，目的只有一个，就是告诉国王、王后以及天竺国万民——我是个妖邪。

玉兔精为何要这么做呢?

因为她在执行公务，按照剧本倾情演出呢!

既然是扮演妖精，自然要有几分妖邪之气。那玉兔精既没有吃人，又不大害人，仅仅是掳走了公主。所以当孙悟空运用火眼金睛看玉兔精时，也不过是看到她"微露出一点妖氛，却也不十分凶恶"。

为了证明自己足够邪恶，玉兔精果断地脱光了自己的衣服。反正当初太阴星君在安排她下凡时早有交代——万一有难，我必来救你。

于是，当战不过孙悟空时，玉兔精第一反应是逃回天宫，找主公求救。在被阻挡在南天门外时，她不得已才返回毛颖山老巢。

孙悟空一路追击，岂料那玉兔精遁术极快。原文说："（玉兔精）将身幌一幌，金光万道，径奔正南上败走。大圣随后追袭。忽至一座大山，妖精按金光，钻入山洞，寂然不见。”

这玉兔精不但武艺超群，与孙悟空可单打独斗三十多个回合不败，并且遁术高明。孙悟空上天、下地拼命追赶，也不曾追上玉兔精。在《西游记》中，会这种将身体化为金光遁法的有三人，一个是孙悟空，另一个是猪八戒，第三个就是玉兔精。玉兔精的神通自然源自太阴星君，而太阴星君之神通极有可能是太上老君传授。

孙悟空回天竺国交代猪八戒、沙僧好好看护师父，随即重返毛颖山。因找不到妖精，他于是召唤出山神、土地询问。

岂料那山神、土地说：“大圣，此山唤做毛颖山。山中只有三处兔穴。亘古至今，没甚妖精。乃五环之福地也。大圣要寻妖精，还是西天路上去有。”

孙悟空一听大怒，他强调自己亲身捉拿妖怪，亲眼见到妖怪遁入山中。两个毛神竟然敢当面欺瞒。

见孙悟空发怒，山神、土地心惊胆战，只好带着孙悟空前去那三处兔穴寻找，最后果然在顶上一个兔穴中发现了玉兔精。

毛颖山山神、土地为何说毛颖山万年无妖怪呢？

只因人家玉兔精确实不是妖怪，而是天庭下派的贵人。

《西游记》中，不少妖怪的落脚点本身就是妖怪的出生地。像天竺国毛颖山，本就是玉兔精修仙得道之地。山神、土地对玉兔精的来历、去向非常清楚。玉兔精下凡后，也不曾隐瞒自己的身份。

天竺国诸多仙人对玉兔精都多有照顾。毛颖山山神、土地自然也不敢得罪玉兔精。玉兔精的兵器捣药杵，就是藏在御花园土地庙中。

至于齐天大圣孙悟空的光辉事迹，多数土地、山神因为地位所限，并不知情。大家只知道唐僧手下的大徒弟很凶恶，经常虐待老人，于是西天路上的土地、山神对孙悟空普遍有抵触情绪。所以，我们对山神、土地会帮邻居玉兔精欺骗孙悟空，也就可以理解了。

第三十四节　鸿蒙大神

在《西游记》中，孙悟空一向是一个无法无天的主儿。虽然在取经中后期孙悟空越来越认识到自身实力之有限，玉帝、太上老君神通之广大，但在他的内心深处依然认为天庭群仙无一人可以及他。

然而在天竺国遇上太阴星君时，孙悟空却非常客气，不但言语恭敬，并且对她的种种言语无一不从。

太阴星君不过是九曜之一，在天庭的职位与火德星君、水德星君、太白金星相等，为何能够获得孙悟空如此推崇呢?

我们先看看火德星君与水德星君在孙悟空面前是何态度。

在青牛精故事中，因金刚琢吸收万千兵器，孙悟空上天庭彤华宫向火德星君求助。听闻众神禀告大圣来临，火德星君“整衣出门迎进”，称彤华宫为“小宫”，自称为“小神”。听闻孙悟空需要他出手，他竟亲自率领众神随同孙悟空下界降妖。可以说，火德星君在孙悟空面前完全是一副恭恭敬敬的下属模样。

再看水德星君。听闻孙悟空巡查仙界有无下凡仙人，水德星君早早把麾下各部仙人全部召集到乌浩宫。他亲自按照名册一一点查，不敢有丝毫错谬。正在查点时，孙悟空来访。水德星君忙整冠束带，接出宫门，将孙悟空迎进宫内道："昨日可韩司查勘小宫，恐有本部之神，思凡作怪，正在此点查江海河渎之神，尚未完也。"

水德星君的态度与火德星君几无二致。他们对孙悟空充满畏惧，深恐得罪这个爱闯祸的猴头。孙悟空对他们则是随意从容。虽然孙悟空是在求人帮助，可言语间几乎都是命令的语气——能够帮到老孙，是你们的福气。

在九曜之中，孙悟空最尊敬的莫过于太白金星。但孙悟空之所以尊敬太白金星，并非因其是九曜之一，而是因为太白金星于他有恩。

孙悟空两度上天庭，都是受太白金星邀请。尤其是在孙悟空大闹天宫后，太白金星竟然真的为他争取到了齐天大圣之职，让孙悟空更是感动。虽然说孙悟空最终与天庭闹翻，后来又被压在五行山下，但孙悟空把账都算到了玉帝和如来头上，对太白金星则依然是感激不尽。

在取经路上，太白金星更是多次向取经团队通风报信，解救危难。加上太白金星在猪八戒被判刑时一力求情，让猪八戒也深深感动。在孙悟空与猪八戒看来，满天星宿多是坏人，太白金星则是寥寥好人中的一个。

即便如此，孙悟空对太白金星的态度依然是执平辈之礼：满意时称其为"老太白"，生气时大骂"好个李长庚"。

孙悟空对太阴星君则全然不是如此。

听见空中有人喊："大圣，莫动手！莫动手！棍下留情！"孙悟空停棒观看，见是太阴星君。原文说："慌得行者收了铁棒，躬身施礼道：'老太阴，那里来的？老孙失回避了。'"

能够让孙悟空主动避让的仙人，在西游世界中那都是弥勒佛、观音级别的大人物。

太阴星君把自己的来意说明，提出："望大圣看老身饶他罢。"

我们回想下当初太上老君救金角、银角大王时，孙悟空颇为桀骜，竟然说要追究太上老君管教不严之罪。可面对同样犯有失察罪过的太阴星君呢？

孙悟空竟然"喏喏连声"，口称"不敢！不敢！"连玉帝宝座都敢贪恋的孙悟空，在太阴星君面前竟然不敢丝毫托大，始终保持晚辈身段。

这是怎么一回事呢？

事情还要从玉兔精对捣药杵的介绍说起。原文说："仙根是段羊脂玉，磨琢成形不计年。混沌开时吾已得，洪闬判处我当先。源流非比凡间物，本性生来在上天。一体金光和四相，五行瑞气合三元……这般器械名头大，在你金箍棒子前。唤作广寒捣药杵，打人一下命归泉！"

玉兔精对捣药杵的介绍有真有假，然而就是这段真假参半的信息，让孙悟空对太阴星君肃然起敬。

真的信息是：捣药杵本体确实是混沌时代就产生的一段羊脂玉。并且捣药杵威名赫赫，在天庭神兵排行榜中，名声远在金箍棒之上。之所以会如此，是因为天庭群仙都认为金箍棒仅仅是人间仙人大禹制作的。只有孙悟空自己才知道金箍棒是由太上老君亲手锻造的混沌镔铁。

假的信息是：玉兔精张冠李戴，把主人太阴星君的光辉往事都套到了自己头上。以玉兔精的修为，不过就是千年左右，她根本不可能是混沌时代的大神。

那么，有没有可能太阴星君在混沌初开时就已经得道呢？

依然不可能。

在《西游记》中，混沌时代不仅有太上老君一人，元始天尊、灵宝天尊二人也极有可能诞生在混沌时代。不过，多数仙人是在盘古（西游世界中盘古即太上老君化身）开天辟地之后产生。

因为天地开辟，混沌时代结束，三界进入鸿蒙时代。只有在天地存在之后，日月星辰才可能存在。太阴星君大约就在此时得道。

不过，太阴星君与太上老君的关系绝非寻常。

《西游记》中几乎每一件混沌时代的宝物都在太上老君手中——谁让人家得道时间最早呢？早起的鸟儿有虫吃，早得道的太上老君有宝捡。

太阴星君的捣药杵，极有可能是老君赐予的。何况，玉兔精和孙悟空、猪八戒都会金光遁，这不禁让我猜测，太阴星君的神通法术也多半来自太上老君传授。

由以上分析可推测，太阴星君极有可能是鸿蒙时代就存在的大神，其寿元悠长尚在玉帝之上，且拥有混沌时代的宝物，其真实战斗力绝不会在如来、观音之下。或许，这才是一贯推崇实力为尊的孙悟空敬畏太阴星君的真正原因。

第三十五节　围堵灵山

前文已经分析过，天庭之主玉帝对佛派玩弄两面手法：一方面，玉帝公开宣布支持取经行动，批准佛法在四大部洲的传播；另一方面，玉帝也对灵山佛派进行各种围堵，以期将灵山佛派势力始终压制在可控范围。

在玉帝诸多压制措施中，对灵山脚下国家的干涉，效果最为显著。

唐僧师徒来到天竺国王城后，在会同馆中住下。驿站中，驿丞见唐僧骑马而来，且气宇轩昂，知道绝非凡人。一问之下，得知唐僧竟然是中华钦差，驿丞立即盛情款待，彼此寒暄一番。

两人的大多数对话，都和唐僧谒见其他国家驿丞一样，无非是唐僧介绍自己来历，驿丞介绍何时适合入朝参见国王。

不过，在这次谈话中也出现了一个以往从来没有出现过的内容。原文说："三藏问道：'上国天年几何？'驿丞道：'我敝处乃大天竺国，自太祖太宗传到今，已五百余年。现在位的爷爷，爱山水花卉，号做怡宗皇帝，改元靖宴，今已二十八年了。'"

唐僧的这句提问非常突兀。若是天竺国驿丞询问大唐建国几年，然后唐僧再问天竺国建国几年，那么一问一答合情合理。关键是人家驿丞根本就没有提出类似问题。在唐僧询问之前，驿丞问的是“唐朝在于何方？”“（唐僧）几时离家？”

换言之，唐僧之提问，在唐僧那里只是随口一问，并无实际意义，可是在作者那里另有玄机。作者就是希望借唐僧这一问，告诉我们一个牵涉仙界高层的秘闻——天竺国建国之谜。

据驿丞所说，天竺国乃是五百年前由其太祖太宗苦心建立。这一点其实不是关键，关键是天竺国建国到如今已是五百余年。

为何天竺国建国到如今不是数十年、数百年，而偏偏是五百余年呢？

在《西游记》中，仙界的诸多大事都是在五百余年前发生的。

五百余年前，孙悟空大闹天宫。

五百余年前，诸仙无能，如来奉命前去降妖。之后，如来大展神威，降伏妖猴，玉帝设安天大会感谢如来。

五百余年前，如来返回灵山，心潮澎湃，斗志高昂，下决心推行取经行动，以昌大佛派。

五百余年前，玉帝批准如来取经计划。如来与观音开始联络三界仙佛，设定八十一难。

五百余年前，如来在灵山设下盂兰盆会，邀请三界仙佛与会，与他们交流取经计划。会后不久，如来二弟子金蝉子被冠以“不敬佛法”之名，转世投胎——取经行动正式开始。

那么，是哪一派势力在五百余年前于灵山脚下建立了天竺国呢？

是灵山佛派吗？当然不是。若天竺国是佛派暗中建立，怎么会不信奉佛派？怎么会允许金平府假佛横行？怎么会纵容诸多道派妖魔肆虐？

于是，答案也就浮出水面——代表天庭势力的玉帝正是天竺国建立的幕后操纵者。

在现实历史中，玄奘大师到达天竺时，当时的天竺处于分裂时代，多个小政权割据一方，彼此混战，根本没有出现大一统的王朝。也就是说，所谓拥有五百年历史的强盛的天竺国，只不过是《西游记》作者的一个虚构之国。虚构它的目的则是为了体现小说中天庭与灵山的矛盾。

在西游世界中，诸多凡人国度不过是各位强大仙人的附庸势力。没有仙人的支持，凡人国度就无法求得风调雨顺；没有仙人的庇护，更无法抵御强大的妖魔。而作为回报，凡人国度也会膜拜那位仙佛，为仙佛提供香火。

凡人虽然渺小，但是世间无数的凡人可以产生仙界最宝贵的资源——香火。天庭也好，灵山也好，所有仙人都需要香火。对于凡人虚无缥缈、毫无作用的香火，在仙佛世界却堪比美食，堪比金钱，是法力的重要来源，是战略储备品。

因此，玉帝一方面公开表态支持取经行动，另一方面却又不愿意放弃凡人国度。于是，他在五百年前派出仙人下界，发动了一场政权颠覆战争。

大战之后，一个信奉天庭、反对佛派的全新国家建立了。这个国家，就叫作天竺。

天竺国王城距离灵山非常近，唐僧师徒不过是走了二十来天，就从王城到达灵山仙境。灵山诸佛本当近水楼台先得月，把天竺国变成真正的佛国圣地。可是在天竺国，上至国王，下至百姓，竟然没有人见过真佛显灵。

见到孙悟空与玉兔精在空中大战，天竺国王吓得屁滚尿流，只知道扯住唐僧说：“圣僧救我！”此后，孙悟空邀国王去布金禅寺迎接公主，自己先飞回寺庙报信。见孙悟空从空中落下，满寺和尚无不下跪，对孙悟空口称罗汉、菩萨。

与灵山近在咫尺的天竺国王城居民为何没人见过灵山诸佛彰显法力呢？若他们见了诸佛神通，又怎么会不信奉佛派呢？

唯一的理解就是，玉帝曾经下过禁令，不允许三界仙佛在凡人国度随便施展仙法。故此，西游世界的大多数国家很少有神仙出现，大多数百姓也很少见到仙法。像观音到长安点化金蝉子，乃是奉佛祖法旨，而如来策划的取经行动又是得到了天庭允许，故不算违规。

玉帝如此举措看似公平——道派仙人也不准随便施展仙法，但道派势力遍布三十三重天，在凡人国度的信仰由来已久，根深蒂固，即便道派仙人不再施展神通，也自然会有许多信徒；而作为新兴势力的佛派，却没有这样的优势。

当然，借天庭批准的取经行动，唐僧师徒大显神威。由此一来，至少取经团队所过之地，其民众大多会改换信仰，信奉佛派。

第三十六节　国王怪事

《西游记》在描绘奇幻的仙佛世界外，还描绘了大量的世俗场景。取经团队一路走来，经过了许多国家与地区。在通关文牒上正式盖上官印的就有宝象国，乌鸡国，车迟国，西梁女国，祭赛国，朱紫国，狮驼国，比丘国，灭法国，天竺国的凤仙郡、玉华州、金平府，等等。

作者一方面描绘取经团队在这些地区降妖伏魔，大展风采，另一方面也描绘了形形色色的国君。这些国君有的贤能，有的愚蠢，有的平庸，有的爱民，有的残暴，有的只顾自身利益……

在了解西天路上的所有君王后，我们不难发现一个惊人的现象：但凡勤政爱民的君王多数命运悲催，备受打压，反倒是那些残暴昏庸的君王往往安享太平、福寿绵长。

这是怎么一回事呢?

历史教科书经常教导我们：得民心者得天下；民贵君轻；君为舟，民为水，水能载舟，亦能覆舟。总之，君王唯有勤政爱民才能坐稳天下。

《西游记》中三个最勤政爱民的君王却偏偏命运悲催，受尽苦难。

其一，乌鸡国王。

乌鸡国王的冤魂来找唐僧诉说苦难。当谈起五年前天旱不雨、万民饿死时，乌鸡国王悲伤无奈，泪水涟涟。唐僧批评说，自古国正天心顺。想必是你不体恤万民，于是上天降灾。你应当打开仓库，赈济灾民，悔过前非，重施善政，如此上天必定降下甘霖。

乌鸡国王的回答却让唐僧大跌眼镜。他说，他在天旱之初就开仓赈济灾民，日夜焚香祷告上天。为了救助灾民，乌鸡国王下令："文武两班停俸禄，寡人膳食亦无荤。仿效禹王治水，与万民同受甘苦。”可是，即便乌鸡国王如此诚心，乌鸡国也足足有三年滴雨不下。

后来，从终南山来了一个道士，能呼风唤雨，点石成金。此道士求得好雨，国王大喜，与道士结为兄弟，以谢救助百姓之情。谁料想那道士哄骗国王，在御花园将国王推入井中淹死。到此时已经三年。

一个能为万民尽散钱粮、能为百姓节衣缩食的君王当然是个好君王。可这国王的下场是被推下井淹死，并且一死就是三年。

其二，朱紫国王。

唐僧师徒来到朱紫国，见到朱紫国都城人烟稠密，商埠繁盛。唐僧不禁慨叹，朱紫国仿佛大唐都城长安。单此一点，就可见朱紫国王必定善于治国。

后来，孙悟空治好了朱紫国王的旧疾。大家一边饮酒，一边聊天。朱紫国王就说起了三年前的往事：有个妖怪（赛太岁）来到朱紫国，宣称洞中少个夫人，逼着朱紫国王送出金圣宫娘娘；若三声之内不答应，就要把满城的黎民百姓全部吃光。在这样的情况下，朱紫国王将金圣宫娘娘推出，妖怪将其掳走。

朱紫国王为了保全满城黎民百姓，能够忍痛舍弃最宠爱的金圣宫娘娘，非常难得。

要知道西游世界的人间帝王、王后虽然是人类，但也不是寻常妖魔可以威胁到的。他们的前世多是天上星宿，如今下凡不过是转世历练，未来依然要位列仙班。这也是大罗天仙张紫阳在得知赛太岁抢金圣宫一事后，要给金圣宫穿上仙衣，保护其贞节的原因之一。

就像唐太宗李世民下到幽冥时，就连十殿阎罗都要走出大殿，躬身相迎。李世民有些惶恐，连连辞让。阎罗说：“陛下是阳间人王，我等是阴间鬼王，分所当然，何须过让。”可见，人间帝王在仙界的身份不低。

可是，如此一位心中装着百姓的君王，却硬生生被抢走妻子，致使夫妻分离三年。三年来，朱紫国王心中满是悔恨与痛苦，受尽了精神与肉体的折磨。

其三，凤仙郡侯。

唐僧师徒进入天竺国凤仙郡，发现饥民遍野，民不聊生。原来当地已大旱三年，竟然有三分之二的百姓饿死。

为了救护百姓，凤仙郡侯忧心如焚，想尽办法求雨，可是一无所获。听手下禀告有个和尚揭了榜文，郡侯亲自到集市上找寻。一见唐僧，郡侯不顾尊卑有别，竟然跪倒，且口称：“熏沐拜请老师祈雨救民。望师大舍慈悲，运神功，拔济，拔济！”

听闻孙悟空能够求雨，郡侯再次下跪说：“老师果舍慈悲，下官必不敢悖德。”作者也不禁慨叹：“那郡侯原来十分清正贤良，爱民心重。”

由此可见，说凤仙郡侯贤能爱民那是妥妥的。

可这凤仙郡侯的遭遇如何呢？

若非郡侯遇到孙悟空，这凤仙郡必然永远干旱，最终成为一座死城。郡侯也必然在忧愁痛苦中死去。最终他也不会明白问题究竟出在哪里。

与上面三个君王相反，西游世界中也描绘了三个残暴昏庸的君王。这些君王动辄杀戮百姓，治国毫无章法，可偏偏安享太平，福寿绵长。

其一，比丘国王。

比丘国王荒淫好色，在见到狐狸精所化美女后，一见迷离，就此荒废了国政。之后，这国王日夜贪欢，酒色过度，以致掏空了身体。白鹿精所化的国丈为国王寻找补品，并且宣称，用一千一百一十一个小儿心肝作为药引服下仙药后，国王就可以延寿千年。

听闻这个消息，一贯不说脏话的唐僧也不禁大骂："昏君，昏君！为你贪欢爱美，弄出病来，怎么屈伤这许多小儿性命！苦哉，苦哉！痛杀我也！"

可是，比丘国王对此举没有丝毫的内疚。就算是在孙悟空杀死狐狸精、赶走白鹿精后，比丘国王依然贪图长生。

本来，这种昏庸残暴的君王应该被一棒子打死或一钯子筑死。可让人大跌眼镜的是，孙悟空、猪八戒不但没有打死国王，反而与国王同桌吃饭喝酒，彼此畅谈人生。寿星更是拿出三颗火枣，送给国王。

原文说："国王吞之，渐觉身轻病退。后得长生者，皆原于此。"大家看看，这个把百姓视作鱼肉的君王，不但坐享太平，还得到长生。

其二，灭法国王。

唐僧师徒来到灭法国王城前，观音特意化为妇人前来提醒。妇人告诉唐僧师徒，从两年前开始，那国王许下一个罗天大愿，要杀一万个和尚。这两年来他陆陆续续杀了九千九百九十六个和尚，唐僧师徒若是入城，刚好凑满一万个。

唐僧师徒化装入城，本来可以偷偷出城，却没想到遭遇一起神秘的抢劫案，致使行踪暴露。最终，孙悟空大展妙手，将灭法国王、王后以及所有官员全部都给剃了光头。灭法国王大惊，礼送唐僧师徒出城。

在车迟国，虎、羊、鹿三国师不过是奴役了一些和尚，就被孙悟空整死。这灭法国王杀害了九千九百九十六个和尚，孙悟空却仅仅是给人家剃头了事。孙悟空临走时还说："你只把关文倒换了，送我们出城，保你皇图永固，福寿长臻。"

其三，狮驼国王。

狮驼国王就是大名鼎鼎的金翅大鹏雕，如来八竿子才打得着的干舅。

金翅大鹏雕为了实现自己的招安计划，早在五百年前就把狮驼国一国都的百姓全部吃掉。之后，他在狮驼国聚敛兵马，硬生生将一个人间国度变成了妖魔鬼蜮。

后来，大鹏雕更与狮驼岭上的狮魔、象魔联手，共同对付取经团队。在等待取经团队到来的那些年，八百里狮驼岭的人类都被三魔吃绝了。狮驼洞也好，狮驼城也罢，都是活生生的幽冥地狱、人间死城。

可犯下如此杀孽的大鹏雕，不但没有受到惩罚，反倒被如来亲自招安，赐封为护法，并且享受四大部洲的无边供奉，地位之尊崇远超无数慈悲爱民的菩萨、罗汉。

为何西游世界会出现这么多的怪现象？

要想弄清楚这个问题，必须先弄清楚西天路上好国王为何倒霉、坏国王为何享福。

文殊菩萨向孙悟空介绍了乌鸡国王倒霉的原因。当年文殊菩萨奉如来佛旨前来乌鸡国，想提拔乌鸡国王为金身罗汉。可是，言语中两人起了冲突，乌鸡国王把文殊菩萨丢到护城河中淹了三天。如来大怒，于是将乌鸡国王淹死。三年罪满后，由孙悟空将其救活。

观音向孙悟空介绍了朱紫国王倒霉的原因。当年孔雀大明王的两个儿子在人间玩耍，可是小孔雀被当时还是太子的朱紫国王一箭射伤。孔雀大明王大怒。观音的坐骑金毛犼为了帮助朱紫国王消灾，才下界抓走金圣宫，让朱紫国王夫妻分离三年。三年灾满后，夫妻自然团聚。

在四大天师的提醒下，孙悟空得知是凤仙郡侯得罪了玉帝。原来，三年前凤仙郡侯在祭祀玉帝时，夫妻吵架，不小心掀翻了供桌，一只狗跑来把供品吃了。玉帝刚好驾临，见郡侯夫妻对自己如此藐视，大发雷霆，于是下令惩罚凤仙郡。要三件誓愿达成，才给凤仙郡下雨。后来，郡侯一心向佛，凤仙郡果然甘霖普降。

原来，这三个国王虽然勤政爱民，但犯了一个共同的错误——怠慢了或者得罪了远远比百姓更有力量的仙佛。

那三个坏国王呢？

那三个国王虽然坏，但个个背景深厚。

比丘国王把屠杀百姓当儿戏不假，可是他对崇奉道派不遗余力。

在国王的努力下，在文武百官的见证中，寿星下凡来到王庭，当众赐给国王三颗火枣，从此国王得以长生。可以想见，在未来的比丘国，百姓感念唐僧师徒救活小儿，不少人会信仰佛派。可是，贵族阶层会狂热地信奉道派。对于贵族来说，富贵荣华已经满足不了他们。长生，才是最大的诱惑。

灭法国王能够杀死九千九百九十六个和尚而不被佛派追究，且端坐王庭许多年，这说明了什么？说明这灭法国背后绝对有道派高人的支持。正因为灭法国王背景深厚，观音才化身妇人前来提醒孙悟空：此去灭法国，只能用智，不能用强。所以孙悟空才明知国王残暴，依然许诺庇佑国王。

至于狮驼国王大鹏雕，人家是如来干娘的兄弟。就算如来再怎么不想认这个干舅，就算干舅再怎么胡来，在外人的面前如来还是必须照顾大鹏雕。当然这并不是说大鹏雕有多尊贵，而是对他的处罚关乎灵山在仙佛界的权威。如来只能保他。

西游世界的人间国君看似一国至尊，其实在他们之上还有众多仙佛。若是国君能够好好为仙佛服务，积极提供香火，那么，仙佛也会努力庇护他们。若那些国王不明轻重，甚至妄图不信道、佛，那神通广大的仙佛不介意出手狠狠将其教训一番。

第三十七节　寇大善人

离开了天竺国王城后，唐僧师徒来到铜台府地灵县，遇上了一个大善人寇员外。

寇员外是远近闻名的大善人。此人从四十岁开始，发大善心，要斋满一万名和尚。在唐僧师徒到来前，已经斋了九千九百九十六名和尚。加上唐僧师徒四人，刚好满一万名。

正因如此，当唐僧师徒来到寇家时，寇员外欢喜异常。不但是他，就连他妻子、儿子，全都对唐僧师徒关怀备至。他们每天好饭好菜招待唐僧四人，唯恐唐僧师徒不满意。一晃，唐僧在寇员外家住了半个月。唐僧担心误了行程，于是提出要走。寇员外挽留不住，在第二天邀请了许多僧人、道士，摆出大场面欢送唐僧师徒西去。

唐僧师徒感激不尽，慨叹西方世界真是不错，有寇员外如此斋僧的大善人。唐僧甚至表态，等见到我佛如来，必定把寇员外的善行禀告如来，以报寇员外恩情。

可就是这么一个大善人，在唐僧师徒走后的当天晚上，也不知道从哪里冒出一伙强盗，跑到寇员外家中抢夺财宝，并把寇员外活活踢死了。

在《西游记》中，灭法国的国王杀了九千九百九十六个和尚，可谓罪恶滔天。可是，他一旦表态归附，孙悟空就保证他江山永固，福寿绵长。

为何寇员外斋僧足足一万人，却落得莫名横死的凄惨下场？

要弄清楚寇员外死亡一事，首先要弄清楚他死亡的原因。

那伙强盗为何选择寇员外下手？书中说得明白："只有今日送那唐朝和尚的寇员外家，十分富厚。"寇员外乃当地第一大财主。并且，当天下了大雨，官府的巡查必定松懈。那伙强盗人很多，各自拿了家伙，喊打喊杀闯入寇家。寇员外希望强盗们留点钱财给他养老送终，结果被一强盗踢死。然后，众贼人带着财宝逃走了。

乍一看，寇员外的死因说得明明白白，就是一伙强盗贪图寇家钱财，杀人夺宝。

但是在短短两回寇员外故事中，却有太多反常的事情出现。这诸多反常汇聚在一起就等于告诉我们，真相绝对不会那么简单。

反常一，寇夫人说唐僧师徒是凶手。

寇员外被踢死的时候，寇家的两个儿子并不在家，但寇夫人躲在床底下。虽然是大雨之夜，可是寇家灯火通明，那伙强盗也并没有蒙面。对于强盗的长相，寇夫人在床下看得清清楚楚。

等到儿子们回来，看到老子死了，母亲吓坏了，急忙询问。此时，寇夫人说出一番话，让所有人都惊呆了。

她说："贼势凶勇，杀进房来，我就躲在床下，战兢兢的留心向灯火处看得明白。你说是谁？点火的是唐僧，持刀的是猪八戒，搬金银的是沙和尚，打死你老子的是孙行者。"

寇夫人说的根本就不符合事实。

昨天中午，唐僧师徒在寇家吃了中饭，一路走了四五十里。眼看天色渐晚，天又下雨，唐僧师徒就在一处破旧禅院歇脚，想着休息一晚，明天再走。

换言之，杀寇员外的绝非唐僧师徒。那么，寇夫人为何说点火的是唐僧，杀人的是孙悟空呢？

书中给出了两个理由："那妈妈想恨唐僧等不受他的斋供，因为花扑扑的送他，惹出这场灾祸。"

其一，前天唐僧师徒要走，寇夫人曾经热情挽留。

当时寇夫人说，此前的半个月，唐僧师徒吃喝都是寇员外斋供的，因此希望唐僧师徒继续留半个月，由她寇夫人出钱斋供，请唐僧师徒赏脸。不想寇员外的两个儿子也说要斋僧，一人也要请唐僧半个月。唐僧害怕耽误行程，就全部拒绝了。本来，请人吃饭这种事情讲究的是你情我愿，既然唐僧有急事要走，寇夫人和寇公子就应该好礼相送。

没想到寇夫人竟然生气了，说："好意留他，他这等固执要去，——要去便就去了罢！只管劳叨甚么！"之后，母子竟然拂袖而去，搞得唐僧非常尴尬。

其二，昨天寇家大摆筵宴，请了无数僧道，把送别宴会搞得轰动了全县城。

在寇夫人看来，若非前一天筵席排场太大，也不致惊动县里那些无良宵小。而唐僧就是惹祸的根由。可是唐僧根本就没有让寇员外铺张浪费，他依然是将一碗饭吃了就上路，根本就不在乎排场如何。寇夫人因此就怨恨上唐僧，是不是小气过头、糊涂至极？

反常二，孙悟空抓住凶手，却又全部放走。

那伙强盗在半夜里动手，抢劫了财宝之后一路西行，走了六十七里才停下。唐僧师徒离开破旧禅院，继续西行，刚好在树林中撞见了那伙正要分赃的强盗。

强盗们本来钱财足够，分完财物就应该各奔东西。可唐僧师徒走来时，他们竟然呼啦啦包围上来，讨要买路钱。孙悟空先让猪八戒、沙僧、唐僧先过去，然后略施法术，念个定身咒，就把所有强盗全部定住了。

按照孙悟空的惯例，自然是要把所有强盗一一打死。可这次孙悟空不但没有打死强盗，而且叫来唐僧、猪八戒，审问起强盗的来历。

强盗告诉孙悟空，他们本是富贵人家子弟，可是坐吃山空，家道落寞。又将如何听闻寇员外富贵动了邪念，晚上如何抢钱、如何逃跑等全部说出，然后恳请孙悟空原谅。

唐僧听闻强盗劫持的是寇家钱财，急忙说："我们扰他半月，感激厚恩，无以为报，不如将此财物护送他家，却不是一件好事?"孙悟空答应。书中说："行者欲将这伙强盗一棍尽情打死，又恐唐僧怪他伤人性命，只得将身一抖，收上毫毛。那伙贼松了手脚，爬起来，一个个落草逃生而去。"

但就在唐僧师徒挑了金银财宝向东回转的时候，官军捕盗队赶到，把唐僧师徒当作强盗抓入大牢。

孙悟空为何不打死强盗？在强盗说明原因后，孙悟空即便不打死强盗，也可以押着强盗去见官，但他为何轻易放走他们呢？

反常三，孙悟空被抓后态度极为冷静，认为一切都是注定。

唐僧被捕入狱后，官员开始审案。唐僧吓得半死，连忙叫孙悟空出来说明情况。孙悟空却说："有赃是实，折辨何为！"以孙悟空的神通，有没有被抓到贼赃根本就不是理由。他完全可以念个咒语，把那寇家黄金白银变成经卷，就如同当初黄袍怪可以把唐僧幻化成老虎一样。最不济，孙悟空也可以拿出金箍棒，发发狠，略施展下拳脚，就可以吓死那些官差衙役。

可是，孙悟空什么都没做。他的理由是什么呢？原文说："（行者）心中暗想道：'虽是我师父该有此难……'"

所谓"该有此难"，最正确的理解不是命中注定如此，而是如来、观音有如此安排，为凑满九九八十一难，故意如此设计。

孙悟空为何知道唐僧该有牢狱之灾呢？是谁给了他提示呢？

在撞见那伙强盗的时候，孙悟空就明白了寇员外的死亡真相。打死寇员外的不是旁人，就是一路跟随、保护唐僧的佛派六丁六甲、十八护驾伽蓝等三十位仙人。

哪里看出来的呢？

一个是人数。

这伙强盗一共多少人？提到强盗人数的地方有三处。

第一处，原文说"遂伙了十数人做贼"，也就是一伙强盗与另一伙十来个强盗共同谋划抢寇员外财物。至于一共多少，暂时没说。

第二处，孙悟空撞见了强盗，原文说"那伙贼——共有三十来名"。三十来名，可以是三十名整，也可以是三十多名。到底是哪个呢，依然不清楚。

第三处，孙悟空念了定身咒，然后"吹口仙气，变作三十条绳索，一齐下手，把贼扳翻"。三十根绳子把所有强盗都绑住，不就证明强盗正好三十名吗？

而佛派保护仙人有六丁六甲十二名、护驾伽蓝十八名，总数刚好是三十名。

在灭法国时，这伙佛派保护仙人就曾经扮演强盗，抬走放着唐僧师徒的大柜子，以此推进故事情节发展。此刻，这伙护法仙人故技重施。

因此，孙悟空一见到这三十人，就知道下面发生的事情都是观音事先安排好的。

而那寇夫人为何一口咬定看见唐僧呢？八成是护驾仙人中有人变化成唐僧师徒的模样，故意让寇夫人看见，从而引发寇家告状，官府通缉，唐僧被捕入狱，形成地灵县牢狱之灾一难。

第三十八节　悟空洗冤

孙悟空放弃为唐僧辩白，于是唐僧师徒住进监牢。

等挨到四更三点，即凌晨两点钟左右，孙悟空思量道："师父该有这一夜牢狱之灾。老孙不开口折辨，不使法力者，盖为此耳。如今四更将尽，灾将满矣，我须去打点打点，天明好出牢门。"

那么，孙悟空是如何在短短两三个小时为唐僧洗刷冤情的呢？

古代有句话叫作"民不告，官不究"。在孙悟空看来，唐僧被下狱，关键问题是寇洪的妻儿诬告。只要寇洪的妻儿主动撤去诉状，案件没了原告，唐僧自然就会被释放。

可是，寇洪妻子一心认为丈夫之所以会被强盗杀死，正是因宴请唐僧显露富贵，遭人觊觎，引发祸患。她恨死了唐僧、孙悟空，又怎么会愿意改变口供、撤去诉状呢？

孙悟空自有“妙计”。

孙悟空变成一个小虫，伏在棺材上。寇洪的妻子、儿子、儿媳妇正在棺材前摆开香烛花果，祭祀寇洪。孙悟空学着寇洪声音，咳嗽几声，开始训话。

假寇洪告诉妻儿，因他们冤枉唐僧师徒，惹怒了土地、城隍、阎王等一众鬼神。如今阎王命令他回到阳间，吩咐家人趁早撤诉，放唐僧西去。否则，“教我在家搅闹一月，将合门老幼并鸡狗之类，一个也不存留！”听完这番话，寇洪妻儿吓得全身瘫软。儿子们说：“爹爹请回，切莫伤残老幼。待天明就去本府投递解状，愿认招回，只求存殁均安也。”

要想案件快速了结，单单原告撤诉还不行，还需要主审官员审核批准。孙悟空从寇家出来，又直接飞去刺史府。

那刺史之所以能够走入仕途成为刺史，和其伯父有莫大关系。因此在伯父死后，刺史在家中供奉了伯父画像，早晚焚香祭拜，以示感谢。

那刺史也起得早，正在洗漱。孙悟空伏在画像上，学着其伯父声音咳嗽几声，把刺史吓得半死，立刻焚香祷告。

假伯父就训斥刺史，如何诬陷东土取经僧，以至于诸神大怒，还说“阎君差鬼使押我来对你说，教你推情察理，快快解放他；不然，就教你去阴司折证也”。一听自己若不放唐僧，就会被带到阴间（就是被弄死）问话，刺史魂飞天外，磕头如捣蒜，连连答应。

考虑到寇洪妻儿忽然提出改口会让一些人觉得怪异，孙悟空干脆施展神通，让整个地灵县都为唐僧说情。

孙悟空是怎么做的呢？

他来到地灵县衙。当时县令与许多衙役都在大堂处理公务。孙悟空大展神通，从半空中伸出一只大脚，一脚把县衙屋脊踏个粉碎，并自称是浪荡游神，口中说，铜台府地灵县拘押佛子，得罪上天。若不尽快释放，“先踢死合府县官，后蹰死四境居民，把城池都踏为灰烬！”

那县令、衙役以及全县万民哪里见过这种场面，于是全部下跪磕头，哀求夜游神切莫发威。随即，县令带着许多衙役、百姓前去刺史府求见刺史。

之后，孙悟空更当着所有人的面大显神威，直接闯入冥界，把寇员外的魂魄带回，由寇员外亲自讲述前后经过，证明唐僧的清白。

寇员外之死的案件，也就告一段落。

可是，那伙强盗跑哪儿去了呢？孙悟空没去提，寇员外与官府也不敢提。所有人都意识到了佛法无边。

在整场洗冤行动中，孙悟空的方法看似高明，其实很卑劣。没错，孙悟空采用的手段，效果虽然很明显，却充斥着欺骗与恐吓。

孙悟空为何不用常规方式抓捕真凶来为唐僧洗刷冤情呢？

因为真凶不能抓。真凶就是为唐僧护法的六丁六甲、护驾伽蓝。是佛派的仙人在观音的安排下，导演了劫掠寇家的一场戏。孙悟空万万不敢破坏佛派高层的安排。

第三十九节　善人之死

除了强盗与佛派护法仙人的人数对得上，寇夫人可能是被护法仙人误导，还有什么证据证明是护法仙人弄死了寇大善人吗？有。

孙悟空知道光凭神通吓唬官员、百姓难以服众。而最好的证明便是复活寇员外，让人家亲口说明害死自己的不是唐僧。

于是，孙悟空入幽冥，见阎罗，访地藏。正是在冥府一游的过程中，阎罗和地藏的言行再次透露给我们许多信息。

按照正常程序，若没有任何外力干涉，阎罗王的生死簿上就应当注明：寇大善人寿命如何，因强盗劫财，被踢死。然后，由幽冥官差牛头马面，将寇大善人的阴魂拘押到地府。

当孙悟空来到幽冥时，十殿阎罗慌忙迎接。孙悟空问："铜台府地灵县斋僧的寇洪之鬼，是那个收了？快点查来与我。"秦广王道："寇洪善士，也不曾有鬼使勾他，他自家到此，遇着地藏王的金衣童子，他引见地藏也。"

孙悟空是按照常理问话，可秦广王告诉他，寇洪寇大善人命不该绝，没有鬼差拘押，是他的魂魄自己飘来地府的。也就是说，寇洪的死是非正常死亡。能够超越生死簿，就意味着改变寇大善人命运的必然是仙人，而且是背景深厚的高层仙人。阎罗知道自己得罪不起，于是强调是寇洪自己来到地府的。

那么，寇洪的魂魄现在何处呢？阎罗指出，由金衣童子牵引，现在在地藏王菩萨处。

孙悟空就去翠云宫找地藏王菩萨。地藏王菩萨解释说："寇洪阳寿，止该卦数，命终不染床席，弃世而来。我因他斋僧，是个善士，收他做个掌善缘簿子的案长。既大圣来取，我再延他阳寿一纪，教他跟大圣去。"

地藏王菩萨的说法竟然和十殿阎罗完全不同。地藏王菩萨主要的意思有两个。

其一，寇洪该死。寇洪的阳寿已尽，命中注定今年死掉（八八六十四岁）。至于死法，不是老死，不是病死，因此不会死在床榻上。这不就是说，寇洪活该横死？

其二，我奖励他。因为寇洪斋僧有功，地藏王菩萨本来是准备让他成为一个鬼仙，负责掌管文案（当地藏王菩萨的秘书）。因孙悟空前来要让寇洪还阳，于是为寇洪延寿一纪，即十二年。

阎罗王说，寇洪命不该绝，于是没有派鬼差拘押。地藏王菩萨则说，寇洪该死，但因他斋僧，我要奖励他。

两种说法必定有一种是假的。那么，谁真谁假呢？

孙悟空唤寇洪出来相见，原文说："寇洪见了行者，声声叫道：'老师！老师！救我一救！'"

若寇洪是被金衣童子好意请来，为何见了孙悟空要喊救命？

唯一的可能就是，在十殿阎罗生死簿上，寇洪命不该绝，但是佛派仙人为了自己的目的强行击杀寇洪。寇洪阴魂不服，被金衣童子强逼掳走，拘押到地藏王菩萨处。

那么，佛派仙人为何要弄死寇洪呢？

作为一个斋僧万人的凡人，寇洪可谓亲近佛派的榜样性人物。若寇洪都不得好死，人们以后还会信佛吗？

首先，铜台府地灵县虽然离灵山极近，但是信仰佛派的人极少。

唐僧师徒来到铜台府时见几个老人聊天，就上前询问何处可以化斋。老人是这么回答的："我敝处是铜台府。府后有一县，叫作地灵县。长老若要吃斋，不须募化，过此牌坊，南北街，坐西向东的，有一个虎坐门楼，乃是寇员外家。他门前有个'万僧不阻'之牌。似你这远方僧，尽着受用。去！去！去！莫打断我们的话头。"

老人们在一起聊什么呢？说什么兴衰得失，谁圣谁贤，当时的英雄事业，而今安在。这明显是道家言论。

若老人们信佛，听闻唐僧问话，那就应该非常热情地邀请他到自己家中，而不是告诉唐僧哪里哪里可以吃到饭。并且，对唐僧打断他们聊天，老人们极为不满，连说三个"去"，无异于让唐僧早点走开。

放眼整个铜台府，著名的佛派信徒只有寇洪一个。这足以看出佛派在当地的信仰危机。

既然如此，佛派亟须制造一个事件吸引众人眼球，让众人亲眼见证佛法无边，从而信仰佛派。

著名的寇洪寇大善人死而复活，就非常有噱头。

其次，寇洪本身信仰不纯粹，其妻子、儿子的信仰更不纯粹。

寇洪为什么发愿斋僧？那是因为他在四十岁之前造了太多

罪孽。

书中，孙悟空变个小虫飞向寇家时，途中听到一个老头儿说起寇家发家的缘由。这说话的老头儿以前和寇洪是同学。他说在寇洪父亲管家的时代，寇家还不到千亩土地，即便放了租子，佃户也经常赖账。等到寇洪二十岁时，父亲死了，他接管寇家，一切就大变样了。

原文说："种田又收，放帐又起；买着的有利，做着的撰钱，被他如今挣了有十万家私。"寇洪为何成为拥有十万贯钱财的地灵县首富？可不仅仅是因为他家那原本不到千亩的土地，而是因为寇洪"放帐"，即放高利贷。

在古代，高利贷最常见的模式，是在农民青黄不接的时候借出钱粮，然后在秋天收取十倍的利息。即借一百，还一千。还不起，就用地契抵押，用妻子、孩子抵押。许多农民就是因此卖儿卖女，家破人亡。

在古典小说中，放高利贷的无一例外都是奸商，都是心狠手辣之徒。这寇洪本来就是这么一个人。

当寇洪四十岁时，他改换追求，想求取延年益寿以及来生富贵，于是发愿信仰佛法。

也就是说，寇洪信佛的目的很市侩，他是想用斋僧万人来换取后半生的平安和来生的富贵。他把信佛依然当成一种放高利贷活动。如此信仰不纯粹的人，不应该惩罚吗？

关键一点，寇洪死而复活使得佛派在当地的影响力空前扩大。

当寇洪被强盗打死的时候，人们确实会对信仰佛派质疑。但是这个质疑非常短暂，因为孙悟空在一天时间内就复活了寇洪。

并且，寇洪的真正死因，唯独孙悟空全部了解。在寇洪还阳前，孙悟空将阎罗王的回复全部隐去，单单告诉寇洪："你被强盗踢死。此乃阴司地藏王菩萨之处。我老孙特来取你到阳世间，对明此事。既蒙菩萨放回，又延你阳寿一纪，待十二年之后，你再来也。"

孙悟空撒谎了吗？没撒谎。但他掐头去尾，只是告诉寇洪，是地藏王菩萨好心放你还阳，给了你十二年的寿命。

寇洪一听大喜，对地藏王菩萨、对孙悟空、对佛派感恩戴德。

我们可以想象，在剩余的十二年中，寇洪必然每一分每一秒都在感谢佛派，都会尽力去宣扬佛法无边。寇洪的妻子、儿子必然会成为虔诚的信徒，而周边的百姓亲眼见证佛派仙人孙悟空能够腾云驾雾、起死回生，此前即便对佛法有怀疑，如今再也不敢生疑。

也就是说，佛派仙人其实没有更改生死簿，更没有给寇洪延寿——更改生死簿是要惊动玉帝的，当初观音为了泾河龙王一事，已经求过玉帝一次，自然不方便再开口。但是佛派仙人在铜台府地灵县成功造势，让百姓深切感受到佛法的威力。

第四十节　暴力斋僧

寇洪让唐僧师徒好吃好喝享受了半个多月，可到达灵山时，唐僧只字未提寇洪的功劳，回转长安时也再未登寇家大门。佛派讲究不打诳语，为何唐僧会做下这等言而无信之事呢？是因为寇洪的妻子、儿子冤枉唐僧杀人，唐僧心中有了怨气吗？

唐僧好心送回寇家财物，却被寇洪妻子、儿子冤枉入狱，善心得了恶报，确实让人生气。不过，唐僧毕竟是个宽厚之人，绝不会因寇洪家人之愚鲁就心怀怨恨。

真正让唐僧介意的，不是寇洪的妻子、儿子，恰恰是大善人寇洪自己。为何这么说呢？

我们且看寇洪是如何斋僧、如何行善的。

听闻仆人回报，有四个和尚来访，那寇洪立刻就丢了拐杖，出门来迎接。见到唐僧师徒，他也不畏惧丑恶，就把师徒引入家中。一边走，他一边介绍，家中的上手房都是招待和尚的佛堂、经堂、斋堂，下手房才是寇洪一家老小居住。

唐僧一听寇洪如此，大赞佛国圣地方有如此诚心侍佛之人。

寇洪家的佛堂、经堂都极尽奢华，满目所见百千佛像都是金装，铜炉、香案、钟磬、木鱼，件件都是珍品。饶是唐僧见多识广，也不禁慨叹："红尘不到赛珍楼，家奉佛堂欺上刹。"

在佛堂拜佛之后，寇洪、寇妻、寇家两个儿子分别前来相见。听闻来人竟然是东土大唐皇帝钦差，前往大雷音寺拜佛求经者，寇妻与寇家儿子无不激动。

见面寒暄毕，开始吃饭。饭菜般般甜美，件件馨香。唐僧师徒各自饱餐一顿，心满意足。若唐僧师徒就此离开，寇洪必定会在唐僧心中留下一个大好形象。

吃完饭后，唐僧起身告辞，寇洪却一把拦住唐僧，不放师徒西去。寇洪说："老师，放心住几日儿。常言道：'起头容易结梢难。'只等我做过了圆满，方敢送程。"

寇洪这番话是什么意思呢？

寇洪父辈上家境也是寻常，可到了寇洪手上，短短二十年时间，就靠收地租、放高利贷聚敛了十万家财。那寇洪在早年作恶颇多，在四十岁之后才弃恶从善，试图以斋僧这种方式洗脱前半生的罪孽。

寇洪半生都是在做生意，在斋僧这件事情上，他采用的也是商业手段。

他手中有一个斋僧账本，里面详细记载着他二十四年来的种种"善举"——所有的和尚都必须在吃了他寇洪的饭菜之后，在斋僧账本上签上大名。换言之，寇洪是在和佛祖做生意，他拿出饭菜给和尚，和尚也必须为寇洪增加功德。

寇洪好吃好喝招待了唐僧师徒，并且凑满了斋僧一万之数，他自然要在地灵县、在天竺国大肆宣扬斋僧万人之善举，让整个地灵县、整个天竺国，甚至让高高在上的如来，都知道世间有这么一个崇奉佛派的大善人寇洪。

那寇洪是如何将所谓"善行"利益最大化的呢？

寇洪说："只等我做过了圆满，方敢送程。"其实就是要唐僧配合，共同演出一幕寇大善人尊崇佛派的大戏。唐僧心中不愿，但是吃人嘴软，不好拒绝。

于是，寇洪准备了六七天，召集了地灵县二十四位高僧，足足做了三天道场，搞得附近地带无人不知。

道场结束，唐僧再次告辞。唐僧言语诚恳，说当初告诉唐王三年便回，如今一晃已经十四年，若回去又要十二三年，实在罪不可当，希望寇洪放他西去。

若寇洪是个体贴人，就应该感受到唐僧诚恳话语背后的不耐。可惜寇洪依然只是想到自己，依然坚持让唐僧多住几日。

唐僧心中非常不满，可是又不好明说。这时，猪八戒嘟嘟囔囔地抱怨唐僧不知好歹，有福不会享受。唐僧大怒，当着寇洪的面，吩咐孙悟空将猪八戒狠狠打了一顿。

见唐僧心意已决，寇洪才提出明天就准备送别宴席，吃完宴席就让唐僧师徒离开。唐僧万般无奈，只能答应。

这时，寇洪妻子与两个儿子都进来挽留唐僧。他们也不管唐僧心愿如何，一个个都说要留下唐僧，再斋僧半月。当唐僧婉言谢绝时，寇洪妻子大怒，拂袖而去。

在寇洪妻子看来，自己请和尚吃饭，和尚本该感激涕零，无不遵从。可眼下唐僧师徒竟然还摆起架子，实在是不通人情。

其实，他们忘记了唐僧可不是寻常和尚，怎么会被一两顿饭就迷惑了本心。只要到达灵山，唐僧就可以成就正果，从此超脱三界外，不在五行中，获得无边寿元。与未来唾手可得的正果相比，寇家一两个月的斋饭算得了什么呢！

寇洪不愧是个精明的生意人，他那一顿送别宴会绝对是地灵县空前绝后的一场盛宴。

他让手下发出百十个帖子，邀请十里八乡所有有头有脸的人物，请来名厨准备饭菜，请来吹鼓手制造气氛，请来和尚、道士诵佛念经。原文说："虽然是百姓之家，却不亚王侯之宅。只听得一片欢声，真个也惊天动地。"

经过这么一折腾，寇大善人之美名必定永远铭记在地灵县百姓心中。至于唐僧师徒，则是寇洪成就善人之名的最后四块垫脚石。

酒席散去，已经到了黄昏。寇洪再次挽留唐僧，唐僧再度坚决拒绝。在那样一个环境下，唐僧说出自己到达灵山后将会禀告佛祖寇洪之功。

可以说，受到寇洪如此"厚待"，唐僧一方面确实感激，但另一方面必然会有深深的屈辱感、被利用感。

现实社会有暴力慈善，这寇洪在西游世界则搞了一个暴力斋僧。这种以谋求利益为主的善行，总是让人觉得善行受到了玷污。

还是《聊斋志异》中的一副对联说得好："有心为善，虽善不赏；无心为恶，虽恶不罚。"

诚心行善，莫问结果。

第四十一节　华光菩萨

唐僧师徒离开寇家后，一路西行，走了不远，天色已晚。孙悟空遥见前方有几间屋舍，于是请师父到那里歇息。走近了看，却见一座倒塌的牌坊，牌坊上有一块旧匾额，灰尘间写着四个大字，乃"华光行院"。

唐僧下马对徒弟们说：“华光菩萨是火焰五光佛的徒弟，因剿除毒火鬼王，降了职，化做五显灵官。此间必有庙祝。”

徒弟们随师父进入一看，里面哪里有什么庙祝，但见廊房俱倒，墙壁皆倾，满目杂草，荒凉凋敝。师徒四人刚卸下行李安歇，天上就乌云盖顶，泼剌剌下起一场大雨来。

那华光行院没有一间好屋，徒弟们只好让唐僧坐在那没雨之处，自个儿或者站着，或者蹲着。晚间，墙外黢黑一片，阴森恐怖，唐僧心中胆寒，一夜未眠。等待天明雨停，唐僧师徒才离开破屋，上路西去。

神秘的华光菩萨加上更神秘的火焰五光佛为何会在地灵县寇洪故事中出现呢?

按照常理，要想厘清故事缘由，必须先搞清楚华光菩萨是何方神圣。

能够在灵山脚下有座行院，可见华光菩萨必定是一位有仙箓的正神。可是，我们在原文第一百回诸佛念诵的名单中却找不到华光菩萨之名。当然，诵念名单在众位菩萨中只是选取了四大菩萨，其他诸如灵吉菩萨、大圣国师王菩萨、毗蓝婆菩萨也都被隐去了名字。

但华光之师火焰五光佛明摆着是灵山佛级高人，应享受进入诵念名单的权利，但是在第一百回的诵念名单中，我们依然找不到这位神秘的火焰五光佛。

若我们换个角度，在道派仙人名单中找寻华光，却会发现，华光之名声威赫赫。华光大帝，又名华光天王、五显灵官、马王爷、王灵官，等等。

关于华光成神的传说非常多，彼此之间也多有矛盾。不过，总体来说有两大体系。

其一，由佛入道，由道入佛。

据明人余象斗《五显灵官大帝华光天王传》记载：华光大帝原来是灵山大雷音寺殿上的一盏佛灯，因千万年聆听佛法，领悟大神通。但因烧死独火鬼，违犯佛家慈悲为怀的教义，于是被佛祖贬入凡间，投胎到马耳山娘娘腹中。

转世之后，小马天生具有第三目神通，可以照见三界。后来，小马为父报仇，大闹龙宫。再后来，小马又上天意图偷走紫薇大帝之金枪，被发现后，被围困而死。

第二次转世时，华光投胎到炎玄天王家，修成神通后自号华光天王。为救母亲，他大闹三界，后为佛祖降伏，皈依佛派。

其二，道派正神，护法四圣之首。

据元末明初《道法会元》记载，天庭有四位护法圣人——马灵耀（又称华光大帝）、赵公明、温琼、关羽。四圣之中，马灵耀，即马天君神通最大、地位最高。

马天君身具第三目神通，相传那第三只眼乃是火之精，马王爷也被尊为火神，千里眼、顺风耳是其部属。

马天君第一世时，曾降伏五百火鸦，杀死东海龙王。之后，马天君转世到王家，修成神通后自号华光天王。因救母亲，他大闹幽冥，玉帝派出真武大帝下界，将其降伏。玉帝怜其孝心，不与降罪，反倒封其为神，为真武大帝麾下第一战将（即王灵官）。

以上两种说法细节相同，但华光最终的归属不同：一个是皈依佛门，一个是忠于道门。

为何同一个仙人的传说会出现彼此矛盾的结局呢？

只因中国的神话传说都是随着时代的发展日渐变化的。比如，明代道派昌盛，就出现了把观音、文殊等佛派仙人拉入道派的观点（如《封神演义》）。而佛派为了自身的发展，也会将道派的一些仙人吸收到佛派当中，比如在明代拥有诸多信徒的华光大帝马天君。

只是，在了解了华光的事迹之后，我们会发现：知道了华光是谁，对理解《西游记》那段原文并没有太大的帮助。《西游记》作者在小说中引入了大量的传统神话人物，但是没有一个人物是照搬神话传说。他笔下的每一个人物，都根据主题的需要、情节的走向做出了重大改动。

那么，关注《西游记》中华光与传统神话中华光的不同点，才是破解华光之谜的关键点。

原文中唐僧说："华光菩萨是火焰五光佛的徒弟，因剿除毒火鬼王，降了职，化做五显灵官。"

这句话乍看起来只是介绍华光的事迹，其实有着深刻寓意。

其一，在传统神话中，华光灭杀的只是"独火鬼"；但在《西游记》中被灭的则被改变为"毒火鬼王"，改了一个字，又加了一个字。

这种改动有何用意呢？

这就使得华光灭杀鬼王的行为变得更加正义。佛派虽然讲究慈悲为怀，但是也讲降妖伏魔。此鬼王善用毒火，可见必是恶鬼。华光灭杀之，本当受到高层奖赏，可如来却将伏魔卫道的华光贬斥。

是如来赏罚不公，还是另有玄机？

其二，传统神话中，华光没有师父，至少他师父不是什么火焰五光佛。作者为何要为华光虚构出一个师父呢？

在传统神话中，华光大帝是一位精通火系法术的仙人。在《西游记》中延续了这一设定，他能够以一人之力灭杀擅长用毒火的鬼王就是明证。

如此说来，华光的师父必定是一位更加精通火系神通的大能。

在西游世界中，最擅长火系神通的，毫无疑问是太上老君。就连偶尔蒙受太上老君点拨的红孩儿，其火系神通在仙妖界都声名远播。

除了太上老君，还有不少精通火系法术的仙人，比如太上老君的隐形弟子、佛派第一位佛祖燃灯古佛。

在《西游记》中，燃灯之名只出现三次，堪称神龙见首不见尾。不过，燃灯之所以叫作燃灯，不是因为其本体是佛灯，而是因其出生时周围一切明亮如灯。

灯是什么？灯即火焰，即光明。因此，火焰五光佛其实就是燃灯古佛的别名。

华光，其实也就是火焰。明白了这点，对于华光明明立功却遭受贬斥，也就很好理解了。对于佛派弟子来说，杀死妖魔是功是过关键不在自身，而在于高层如何评判。

若华光是自家心腹，那降妖伏魔自然有功，会被提拔重用；可华光是燃灯弟子，乃过去派悍将，被如来借机贬斥也就不足为怪了。

第四十二节　金顶大仙

唐太宗在送别唐僧时询问几时得归，唐僧当时慨然道："只在三年，径回上国。"

观音已经告诉太宗皇帝，从东土到西天一共有十万八千里之遥。唐僧坚信有坚定的意志，有马匹、仆从相助，更关键的是身怀通关文牒，乃天朝上国的钦差大使，即便路途很长，但只要一天走那么一百里，三年下来也可以走到西天。

只是，唐僧不过一介凡僧——虽然他是金蝉子转世，但经过十世轮回早已经法力全无。唐僧能认识到的危险，不过就是山高路远，最多加上一些强盗毛贼。他哪里知道取经路上会遭遇那么多妖魔鬼怪。若是早知道这些，以唐僧胆小懦弱的脾性，八成吓得不敢出门了。

唐僧不知道路途艰辛，信口开河情有可原。那么，观音呢？

唐僧师徒到达灵山脚下时，远远看到一个道士打扮的仙人迎接上来。孙悟空介绍说，此人乃是玉真观金顶大仙。金顶大仙笑呵呵地说："圣僧今年才到。我被观音菩萨哄了。他十年前领佛金旨，向东土寻取经人，原说二三年就到我处。我年年等候，渺无消息，不意今年才相逢也。”唐僧取经到如今，已经足足十四年。金顶大仙所说的十年，不过是取其整数。

当年观音为何欺骗金顶大仙，说唐僧只要两三年就可以到灵山呢？

是观音也拿不准唐僧行程，故随口一说吗？绝非如此。

在唐僧换取有字真经离开灵山后，观音禀奏如来说：“弟子当年领金旨向东土寻取经之人，今已成功，共计得一十四年，乃五千零四十日，还少八日，不合藏数。望我世尊，早赐圣僧回东转西，须在八日之内，庶完藏数，准弟子缴还金旨。”

从观音此话可以看出，早在许多年前甚至是在五百年前，在最初策划取经行动的时候，就已经定下了取经所花费的具体时间。多久呢？

五千零四十八天，即佛派所说的“一藏”之数。

如来有能够度化世人的《三藏真经》，一共一万五千一百四十四卷。唐僧来到西天，取走的并非全部《三藏真经》，仅是从中任意挑选，凑满了一藏，即五千零四十八卷。

这个五千零四十八的数字在佛派有着特殊意义，或许佛派认为其中掩藏着一些天地规律，若能遵从必定能把效力发挥到最大。

既然观音早就知道唐僧取经将花费的时间，为何对金顶大仙撒谎呢？

因为金顶大仙乃是玉帝安插在灵山佛派的一个公开的密探。

无论是从金顶大仙所住的“玉真观”观名看，还是从其打扮

（“身披锦衣，宝阁瑶池常赴宴；手摇玉麈，丹台紫府每挥尘。肘悬仙箓，足踏履鞋。飘然真羽士，秀丽实奇哉”）看，金顶大仙都是一个道派仙人。

玉真观修在灵山脚下，相当于灵山的一个高级招待所。灵山禁止飞行，所有仙人进出必须经过玉真观，也就是说都必须从金顶大仙眼皮底下经过。如此一来，如来和哪些仙人来往，佛派有何大事发生，金顶大仙大体都能掌握。

玉帝通过金顶大仙可以掌握不少佛派秘密，从而加强对佛派的控制。反之，如来要想有秘密行动，就必须千方百计避开金顶大仙。因此，金顶大仙在灵山看似受到尊崇，观音也对他礼貌三分，其实佛派高层人人憎恶他。

正因如此，金顶大仙询问取经人到达时间时，观音没有如实相告。她想让佛派、让取经团队保持更多的秘密。

可是观音也没有想到，玉帝对取经非常重视。在观音恳请玉帝“叫天天应，叫地地灵”，即给予取经团队足够的支持时，玉帝提出必须派出天庭护法队陪同在唐僧左右。这伙仙人就是五方揭谛和四值功曹。

观音和如来一度很着急，但最终想到了对策，就是从佛派也挑出一些仙人，参加暗中保护团队。而且他们派出的人更多，有六丁六甲和十八位护驾伽蓝，一共三十位仙人。玉帝何等聪明，自然看出了如来、观音意图跳出他的掌控。玉帝于是又提出，其他仙人都可以轮番替换，唯独五方揭谛中的金头揭谛，必须日夜不停，昼夜监视（看守）唐僧。

观音很苦恼，若如此，佛派的许多小秘密就有曝光的危险。不过，她也想出了对策，即每当取经团队有重要行动时，就请金头揭谛去找观音、找玉帝汇报工作。等金头揭谛一离开后，佛派立即开展行动，比如灭法国驮大柜，镇海禅林寺放纵老鼠精取唐僧元阳，地灵县假扮强盗打死寇员外等。操办这些事情的，都是佛派护法仙人，天庭护法仙人并不知情。

第四十三节　凌云流尸

唐僧师徒见过金顶大仙后，来到凌云渡。凌云渡水流湍急，除孙悟空外都不能过。幸有撑船人（接引佛祖）撑着无底船前来。

渡河途中，发生了惊人一幕，原文说："只见上溜头泱下一个死尸。长老见了大惊。行者笑道：'师父莫怕，那个原来是你。'八戒也道：'是你，是你！'沙僧拍着手也道：'是你，是你！'那撑船的打着号子，也说：'那是你！可贺，可贺！'"

为何唐僧见到一具尸体会大吃一惊呢？想那唐僧也是从尸山血海中走过，若是寻常尸体绝不会让他大惊。结合下文三徒弟与撑船人的回答可知，那飘下的尸体必然与唐僧一模一样。因此，三位徒弟与撑船人才都会说"是你"，唐僧也才会大惊。

我们知道，唐僧至少有着两重身份：其一，如来二弟子金蝉子；其二，状元陈光蕊之子、大唐取经僧陈玄奘。

这两重身份之间既有相同，又有不同。那么，这飘下的尸体到底是谁？是金蝉子长老，还是陈玄奘？

原著中，在上段话出现后紧接着有一首诗歌，对此事进行了一番评论："脱却胎胞骨肉身，相亲相爱是元神。今朝行满方成佛，洗净当年六六尘。"

按照诗歌的意思，漂流走的是肉体凡胎，留下的是元神。如今功满道成，自当洗净当年尘埃，恢复过往一切。换言之，诗歌暗示：经过凌云渡之后，金蝉子长老的记忆全部恢复，而作为金蝉子第十世转世的唐僧，其肉体凡胎已经脱去。

这种说法有没有道理呢？有道理。

从如来的角度来说，唐僧恢复金蝉子长老的记忆，是其完成取经行动的重要组成部分。

取经行动的目的很多。其中之一，是在灵山佛派高层中加强如来所代表的主事派力量。

如来虽然是佛派主事人，但是并不能完全掌控整个佛派。小雷音寺故事中，黄眉老怪自称佛祖，占据小西天，建造小雷音寺，麾下有五百罗汉，一切排场皆比照如来。从黄眉老怪之嚣张跋扈模样就可以推知：其主弥勒佛所代表的未来派，在佛派高层中力量庞大，绝不甘心居于人下。

于是，提拔心腹进入佛派高层，扩大己方力量，就成了如来掌控佛派的重要步骤。

二弟子金蝉子表面看来是一位听课不认真的顽皮弟子，但其实乃如来心腹。他为恩师大业，不惜转世投胎，经历十世轮回，最终以大唐取经僧之面目，为佛派昌盛做出重大贡献。

有恢复记忆的金蝉子相助，可以相信，如来必定如虎添翼。至于陈玄奘，虽然他是金蝉子转世，但并不等同于金蝉子。

金蝉子与陈玄奘虽然同是一个元神，但是所拥有的记忆并不相同。金蝉子心中，最为忠诚、念念不忘的是如来；而陈玄奘心中，最为忠诚、念念不忘的是大唐皇帝李世民。

当然，陈玄奘身为佛派弟子，对如来也充满崇敬。不过，因为陈玄奘的特殊经历，使得这一世的金蝉子打上了特殊印记。

陈玄奘苦读佛派典籍三十年，一点仙气也无，但自从诵念《多心经》之后，从此踏上修真之途。之后的十来年，唐僧日夜诵念，修为大长。可以说，唐僧之所以能够成佛，最大的原因是修习《多心经》。而传授给唐僧《多心经》的，是化身乌巢禅师的燃灯古佛。

换言之，金蝉子能够得道，源自如来的教导；而唐僧能够成佛，源自燃灯的指引。

若大唐取经僧依然保持陈玄奘的记忆，那么在未来的佛派纷争中，势必给如来造成新的困扰。为此，消灭大唐取经僧灵魂中有关陈玄奘的记忆，同时激发其灵魂深处金蝉子的记忆，非常有必要。如此，才可以确保取经团队在未来的佛派行动中，坚定地站在如来一边。

但是让如来大跌眼镜的是，真正留存在大唐取经僧灵魂中的不是金蝉子的记忆，而依然是陈玄奘的记忆。

换言之，在凌云渡从上游飘下的其实不是陈玄奘的尸体，而是金蝉子的尸体。作为金蝉子的一部分记忆，被彻底从唐僧的灵魂中抹杀了。

有何证据呢？我们且看最后故事中唐僧的言行举止就明白了。

其一，唐僧一路来到大雷音寺前。金刚阻拦，询问是谁。唐僧回答说："是弟子玄奘到了。"

在此处，唐僧明确自称玄奘，而不是金蝉子。

其二，当白雄尊者撕破经包，唐僧发现行李中全是白本，不禁泪流满面说："我东土人果是没福！似这般无字的空本，取去何用？怎么敢见唐王！诳君之罪，诚不容诛也！"

在此处，唐僧依然将自己定为东土人，他一心完成取经，并非为了佛祖大业，而是为了唐王李世民。换言之，唐僧心中忠于唐王，而非如来。

其三，在通天河经卷落水后，妖魔鬼怪前来抢夺经书，唐僧战战兢兢，只知道扯住孙悟空。其胆小怯弱，一如过去的陈玄奘。

类似的证据还有很多。一直到取经的最后，陈玄奘都没有恢复金蝉子的记忆。

在如来策划、观音安排的八十一难中，早就有凌云渡脱胎一难。为何早有安排，最后的结果却不尽如其意呢？是哪一个环节出了问题？

第四十四节　接引出场

在凌云渡故事中，除了惯常的主角唐僧师徒，特别客串的就只剩下接引佛祖了。因此，唐僧灵魂中金蝉子的记忆被抹去，十有八九就是接引佛祖所为。为何这么说呢？

其一，此接引佛非彼接引佛。

作者在介绍接引佛祖时特别强调，他的正式名讳叫作南无宝幢光王佛。在第一百回诸佛诵念名单中，他排名第七，在弥勒佛之前。让人意外的是，那份名单中的第十一名位置，赫然又出现了一位“南无接引归真佛”。也就是说，《西游记》中其实有两位接引佛。

为何会出现这样的现象呢？是《西游记》作者出现了笔误吗？不是。

接引诸仙成佛，是佛派扩展力量的一个重要举措。出任接引佛的必须是现任佛祖的心腹。在燃灯古佛出任佛祖时，南无宝幢光王佛担任接引佛之职。因其资历极高，修为又达到天尊级别，故后人尊其为接引佛祖。无数万年后，如来佛祖崛起，取代燃灯成为新一任主事佛祖，南无宝幢光王佛的接引工作也交给如来佛祖的心腹南无接引归真佛。

故此，才会出现两位接引佛并存的现象。

其二，为何不是如来的心腹南无接引归真佛负责接引唐僧师徒呢？

按照观音最初的安排，走到灵山时唐僧依然是凡人一枚。以超越普通佛级高手的实力，南无接引归真佛完全可以在不留痕迹间抹去凡人唐僧的记忆。

但是，如来与观音万万没想到，燃灯古佛会从中插一杠子——他在浮屠山化身乌巢禅师，传授给唐僧一套佛派至高修真法诀《多心经》。

因在五庄观吃了人参果，唐僧的肉体强健无比，虽新陈代谢缓慢，但灵魂依然是凡体。然而修习《多心经》之后，唐僧一步踏入仙途。到黑松林时，他已经能够祥云瑞霭随身，魂体修为达到了菩萨境界。待走到灵山时，他更是无限接近佛级。

面对这种情况，没有达到天尊级修为的南无接引归真佛，根本无法做到悄然抹杀唐僧灵魂中某段记忆。

在佛派主事派中，仅有如来与观音两位天尊级高手。虽然在四十六尊佛中还有一些天尊高手，但是他们许久不问世事，如来也不好轻易打扰。

恰恰此时，燃灯古佛麾下的老接引佛祖主动提出，愿意承担接引唐僧师徒的任务。在经过仔细权衡之后，如来答应了老接引佛祖的请求。

其三，如来为何会让老接引佛祖去执行秘密任务呢？

一来，老接引佛祖神通广大，早早达到了天尊级修为。

原著中有诗句介绍接引佛祖那艘无底船，其中也蕴含了接引佛祖的许多信息：“鸿蒙初判有声名，幸我撑来不变更。有浪有风还自稳，无终无始乐升平。六尘不染能归一，万劫安然自在行。无底船儿难过海，今来古往渡群生。”

原来，那无底船竟然是鸿蒙时代就创下赫赫威名的超强法宝。

在接引佛祖得到之后，它依然不堕威名。只要有这无底船在手，即便是有再大的风浪，接引佛祖也能安然渡过。

估计接引佛祖正是靠着这无底船，方才躲过无数次毁天灭地大天劫。而能够一直拥有这鸿蒙时代的法宝，也足以证明接引佛祖强大的实力。

二来，老接引佛祖与如来关系一直和睦。

诗句中间四句云：“有浪有风还自稳，无终无始乐升平。六尘不染能归一，万劫安然自在行。”

我们可以把这四句诗看成接引佛祖对自家法宝的赞美，也可以看成接引佛祖对立身处世原则的表白。我们完全可以这么理解：在权力、派系冲突的种种风浪中，接引佛祖始终保持一份超然态度，为此才能乐升平、才能自在行。

正因为老接引佛祖和如来一直关系和睦，如来也不想与燃灯古佛公开决裂，于是才让老接引佛祖去执行这项任务。

但是如来万万没有想到，老接引佛祖竟然擅自做主改变方略，将唐僧灵魂中有关金蝉子长老的记忆抹去了。

老接引佛祖为何要这么做？

原因不难猜，老接引佛祖毕竟是过去派中坚，与燃灯古佛更是无数万年的亲密好友。只要燃灯古佛出面恳求，老接引佛祖不可能拒绝老友的请求。

如此一来，唐僧与如来的亲密关系就被斩断，而燃灯古佛一旦宣示他就是乌巢禅师，势必让唐僧倾心回报。

第四十五节　传经收红包

唐僧师徒来到灵山，拜见如来。如来发表了一通感慨后，派遣麾下阿傩、伽叶两位尊者带唐僧师徒去取经书。

来到藏经阁，阿傩、伽叶问："圣僧东土到此，有些甚么人事送我们？快拿出来，好传经与你去。"唐僧听了非常意外，他老老实实回答："弟子玄奘，来路迢遥，不曾备得。"两位尊者笑笑说："好，好，好！白手传经继世，后人当饿死矣！"

所谓"人事"，其实就是红包，就是礼钱。

孙悟空向来是傲娇的性子，他面对如来、观音自然不敢放肆，可他哪里把什么阿傩、伽叶放在眼中。见他二人刁难唐僧，孙悟空不禁高叫："师父，我们去告如来，教他自家来把经与老孙也。"在孙悟空看来，是这两个尊者难缠，如来可是答应了传经书的。

听孙悟空如此说，两位尊者也就不再提起什么人事，却把无字经书挑了五千零四十八卷，给唐僧师徒带去。

在许多读者看来，佛派乃是清净之地，怎能讨要人事呢？必然是这两个尊者贪财，才会做出这等龌龊举动。事情真的是这样吗？

先看如来是怎么评价此事的。

因燃灯佛祖派出白雄尊者掀翻了行李，让唐僧师徒发现经卷竟然是白纸。唐僧师徒大怒，回到灵山，找到如来，状告阿傩、伽叶讨要人事不成，就发给他们无字经书。

如来是这么说的：“你且休嚷。他两个问你要人事之情，我已知矣。但只是经不可以轻传，亦不可以空取，向时众比丘圣僧下山，曾将此经在舍卫国赵长者家与他诵了一遍，保他家生者安全，亡者超脱，只讨得他三斗三升米粒黄金回来。我还说他们忒卖贱了，教后代儿孙没钱使用。你如今空手来取，是以传了白本。白本者，乃无字真经，倒也是好的。因你那东土众生，愚迷不悟，只可以此传之耳。”然后他即道：“阿傩、伽叶，快将有字的真经，每部中各检几卷与他，来此报数。”

如来的评价非常明确。

其一，如来知道阿傩、伽叶讨要人事的事情，并且认为没有做错。

阿傩、伽叶乃是时刻不离如来的两大尊者，是如来心腹中的心腹。一个好的下属最应该具备的本领，就是懂得上级的喜好，能揣摩出上级的心理。

对于传经东土，如来一直有一个观念，叫作“经不可轻传”。

早在当年观音下山前，如来就曾经表示，他本可以用大神通直接把经书送往东土，可是轻易得到的东西，人们必然不会珍惜。况且，就如阿傩、伽叶所说的，白手传经，后人当饿死。

唐僧作为一个取经人，自然希望白手传经。可如来作为一个传经人，并且是一个大门派的掌舵人，他当然希望自己传经的行动能够利益最大化。

其二，索取人事，只是如来希望从传经行动中获得的巨大利益的一个微小部分。不过，虽然这个部分很微小，但蚊子肉也是肉。

为此，如来还举例证明：当年赵长者请佛派的普通弟子下山，念了一通经书超度亡魂，弟子要了三斗三升黄金米粒。这价钱在我们看来已经高到疯狂了，可如来还嫌少。

如来想的也没错啊。普通和尚念的普通经卷当然不值这个价，但人家可是如来弟子，且念的是《三藏真经》，是货真价实可以让亡魂超脱的。三斗三升黄金米粒就可以让一个人超脱苦海，这价格是不是很便宜？

见如来都如此说，唐僧也没有法子了。他想来想去，身边只有一个紫金钵盂算是自己的东西，于是送给二尊者，终于换得有字真经。

至于孙悟空在金平府取得的犀牛角，为何没有交给二尊者呢？

或者这仅仅是作者的笔误？百万字的长篇里有些漏洞也是在所难免的；或者因为犀牛角是取经团队的公共财物，并且价值非常昂贵，孙悟空、猪八戒等人不同意交出？

这里再提一下燃灯佛祖的问题。

对二尊者传给唐僧师徒的无字真经，如来佛祖表示："白本者，乃无字真经，倒也是好的。"无字真经真的是好的吗？

如来又一次撒谎了。

要知道此时即便是唐僧，都已经脱去凡胎成就仙身，更不要说孙悟空、猪八戒、沙僧等人，在经历凌云渡后法力神通必然更加精纯。可是，无论是唐僧，还是孙悟空、猪八戒、沙僧，谁也没有发现白本上的奥秘。若连孙悟空这等天仙修为都无法看破，这白本经书只可能就是白本。

如来为什么要撒谎呢？他是为了欺瞒唐僧师徒，以维护心腹弟子。

那么，燃灯佛祖为何要揭穿此事呢？原文说："东土众僧愚迷，不识无字之经，却不枉费了圣僧这场跋涉？"

按照燃灯佛祖的说法，他这么做是要帮助唐僧，帮助东土大众。

但是，为何灵山那么多佛、那么多菩萨对此事都不出声呢？

以他们的慧眼神通，自然都可以看到并知晓二尊者传无字真经之事，可是事关二尊者就意味着事关如来，谁要揭破此事，就等于和如来做对。放眼整个佛派，敢公开如此做的只有两个人——燃灯佛祖和弥勒佛祖。

只是弥勒佛祖巴不得唐僧取经行动失败，而燃灯佛祖却希望唐僧取经有成，并且在将来成为他麾下的一大助力。

只因燃灯佛祖就是乌巢禅师，只要他亮明身份，就等于宣布是唐僧今世的师父。不仅是唐僧，甚至孙悟空，都会感念燃灯佛祖的传经大恩。

第四十六节 《三藏真经》

唐僧师徒在换得有字真经后准备启程。

如来嘱托说："此经功德，不可称量。虽为我门之龟鉴，实乃三教之源流。若到你那南赡部洲，示与一切众生，不可轻慢。非沐浴斋戒，不可开卷。宝之！重之！盖此内有成仙了道之奥妙，有发明万化之奇方也。”

在如来口中，他所撰写的《三藏真经》非常神奇。

其一，内容精深，立足高远。

如来说，《三藏真经》虽只是佛派典籍，但其中包含了儒、道、佛三家学说的根源。这个评价可了不得。

在西游世界中，太上老君乃是三界道祖。此道祖，并非仅道派之祖，而是万千道门之祖。比如佛派，也是道法之旁门——《西游记》中，太上老君曾“化胡为佛”，由其弟子燃灯创建佛派。

西游世界的如来胸襟远大，目光高远。他所追求的，绝不仅是把大乘佛法由西牛贺洲传播到南赡部洲。他的目标，是四大部洲所在的第一重天水元界，甚至是整个三十三重天。他要用《三藏真经》征服宇宙，让佛法成为万法之宗。

其二，功效神奇，可成仙了道。

唐太宗派出唐僧到西天取经，预期的目标只是用大乘佛法来超度亡魂，让自己不再承受冤魂缠身之痛苦。可是在如来口中，那《三藏真经》的真正功效远远不止超度亡魂那么简单。

《三藏真经》真正的面目，是一部修真总纲。若是通晓《三藏真经》，必定可以成就仙体、明白大道，并且由此推知、掌握各种法与术。

此前，乌巢禅师曾经说《多心经》乃是佛派至高典籍。按照如来的话语，《三藏真经》比《多心经》还要高级，《多心经》只是佛派万法之总纲，《三藏真经》却是三界一切法之总纲。

因《三藏真经》如此宝贵、如此神奇，故如来再三叮嘱唐僧，务必让东土万民珍之重之，万万不可轻视。

唐僧修行《多心经》十余年就成就佛体，孙悟空、猪八戒、沙僧也都各有进益。那么，《三藏真经》的真实功效如何呢？

很遗憾，原著中并没有写唐僧如何诵念真经、如何超度亡魂的景象。

见了唐王，准备好各项事务后，唐僧登台正准备翻开《三藏真经》诵念一二时，半空中八大金刚就把唐僧给拉了过去。

我们如何才能知道《三藏真经》的真实功效呢？

原著中虽然没有对使用者的正面描述，但有一个场景可以侧面体现《三藏真经》之神奇。

在通天河东岸，因老鼋发脾气掀翻唐僧师徒，真经全部落水。唐僧师徒把湿了的经书放在东岸石头上晒干。当时已经是黄昏，唐僧师徒刚晒好经书，就莫名吹来一阵狂风，顿时天色昏暗，飞沙走石。但见：

“一阵风，乾坤播荡；一声雷，振动山川。一个闪，钻云飞火；一天雾，大地遮漫。……风鼓的沙尘扑面，雷惊的虎豹藏形，闪幌的飞禽叫噪，雾漫的树木无踪。”

天地为何有如此异象呢？

孙悟空解释说：“我等保护你取获此经，乃是夺天地造化之功，可以与乾坤并久，日月同明，寿享长春，法身不朽：此所以为天地不容，鬼神所忌，欲来暗夺之耳。”

在孙悟空看来，修习《三藏真经》可以“寿享长春，法身不朽”，简单说就是可以成就仙道。向东土传播这种仙法，必将改变东土大唐的未来，甚至改变整个四大部洲的格局。

孙悟空凭啥对《三藏真经》做出这等评价呢？他看过真经了吗？

事实上，孙悟空还真的看过。在阿难、伽叶第二次传经时，因担心二人用白本糊弄人，孙悟空、猪八戒、沙僧三人在将经书打包时，特意把每一本都略略翻看过。

正因《三藏真经》内含天地大道，故一到晚上就有阴魔前来抢夺。

不过，恰恰是这阴魔抢夺告诉了我们，唐僧手中的《三藏真经》其实只是一部修真入门典籍，不但与《多心经》无法相比，与孙悟空修习的高品天仙诀相比更是天差地别。

阴魔，也就是修习仙道的鬼魂，其实力乃是三界五等仙人（天、地、神、人、鬼）中最低一等。这小小阴魔，成群结队方有些微战力，且只能在夜间活动。天一亮，他们就要躲避在阴寒之地，一旦被日光照射，就会烟消云散。

对于阴魔来说，《三藏真经》是个宝贝，因真经最主要的功效是超度亡魂。也就是说，其间蕴含着魂魄修真的法门，对于鬼仙来说是个宝贝。

但是，修习《三藏真经》估计也就只能达到人仙，顶多是神仙一流。孙悟空的评价是“寿享长春，法身不朽”。“长春”，即长生。在西游世界的描述中，拥有千年寿元就可以称之为长生不老。

尤为重要的是，若唐僧取走的《三藏真经》有《多心经》乃至天仙诀的功效，区区东土大唐凡人国度，根本没有力量保全。各路妖、仙还不蜂拥而至，全力抢夺？

那么，是不是如来在吹牛、撒谎呢？还真不是。

大家不要忘记了，全套《三藏真经》一共是一万五千一百四十四卷，传给唐僧的不过是五千零四十八卷。并且在挑选经卷时，如来特别交代："将我那三藏经中，三十五部之内，各检几卷与他，教他传流东土，永注洪恩。"

如来是如何传经的呢？

他不是把《三藏真经》全部传给唐僧，三藏之数他只是传了一藏。尤为重要的是，传给唐僧的经卷部部都是残本，都是三十五部经书中的前三分之一。

也就是说，如来把可以从凡人踏上仙途，并且修习到人仙乃至神仙的初级功法，让唐僧带到了东土，却把可以从神仙修习到地仙，从地仙修习到天仙的中高级功法，留在了灵山。

这也不能怪人家如来。区区一个紫金钵盂就想换走全套修真功法，那也太贪心了不是。

第四十七节　佛经贵吗

在灵山传经时，如来提到，诵念一遍超度亡魂的经卷，要收取三斗三升米粒黄金。

有读者觉得这个价格太贵了，认为这黄金米粒当是黄金色米粒之意，应该不是米粒状黄金。真相到底如何呢？

有学者专门请人按照米粒的大小，计算过三斗三升容积内大概会有多少颗米粒，然后按照一颗米粒大小黄金的重量，计算出三斗三升米粒黄金总体重量是804斤。按照每克黄金260元的价格计算，800斤黄金大约是1亿元。

这样算来，佛派弟子给一位死者超度亡魂，就要收取1亿元的费用。这个价钱可太贵了！

而若超度一位亡者收费是三斗三升黄金色米粒，情况就完全不同了。

如今售卖的优质小米，不过30元一斤。唐朝时期的一斗米，大约是12.5斤。以此价计算，佛派弟子超度赵长者家亡魂，不过收取了大约1100元费用。

一边是1亿元，一边是1100元。这二者之间的差距完全可以用天壤之别来形容。

佛派一向讲究四大皆空、普度众生。身为佛祖的如来，自然应当率先垂范。按照这个模式去推理，佛派弟子下山超度亡魂，完全应该不收取分文。就算是和尚要吃饭，那也应该只收取1100元才对，而不是狮子大开口，收取1亿元。

有这样观点的读者，都是善良纯洁的人们。不过，既然我们是品读《西游记》，那就不能想当然，而应把一切观点都立足在原著文本之上。

结合原著，我可以百分百地确定，如来口中所说的“三斗三升米粒黄金”乃是黄金，而非黄金色米粒。换句话说，超度一个亡魂的确是收取 1 亿元，而不是 1100 元。

古代人为了方便携带，经常把黄金铸造成各种形态，比如元宝形、米粒形、瓜子形，于是对黄金就有了金元宝、米粒黄金、瓜子金等不同的称呼。虽然形态不同，但米粒黄金百分百是黄金。

从语法上看，“米粒黄金”是一个偏正型短语，“米粒”是修饰词，“黄金”是中心词，其含义等同于“米粒形黄金”。

即便从上下文语境看，这米粒黄金也必然是黄金。

原文中如来说：“你且休嚷。他两个问你要人事之情，我已知矣。但只是经不可轻传，亦不可以空取。向时众比丘圣僧下山，曾将此经在舍卫国赵长者家与他诵了一遍，保他家生者安全，亡者超脱，只讨得他三斗三升米粒黄金回来。我还说他们忒卖贱了，教后代儿孙没钱使用。”

如来的意思是说，阿傩、伽叶向唐僧师徒收取人事方才传经，根本就没有错。为什么呢？因为“经不可轻传，亦不可以空取”。

为了说明收钱是应当的，如来举出赵长者家的例子强调：《三藏真经》珍贵无比，就算是诵念一遍，超度一位亡者之魂，收 1 亿元都还嫌少，现在把《三藏真经》原本都送给你们了，你们不应当交付人事吗？

佛祖的话其实没有错。唐僧乃是代表大唐皇帝李世民前来灵山取经。所谓取经，只是说得好听，其实是代表大唐购买《三藏真经》（超度亡魂秘籍）的使用权。并且这购买的使用权并非一次性的，而是永久性的。既然双方本就是一场生意，那么一手交钱、一手交经，不是天经地义的吗？

何况，超度一个亡魂收费三斗三升黄金，即1亿元，这个价格贵吗？

一点都不贵。

唐太宗为何要让唐僧取经？是因为兴唐大战中许多无辜者丧命；玄武宫变时，他又杀兄弟逼父亲。那些死者因积怨深重，无法进入轮回，纷纷向唐太宗索命。

李世民虽然并不清楚超度亡魂的收费单价，但他也做了大出血的准备。比如，他遍请全国高僧，大做超度法事，这是物质投资；他册封主讲玄奘为大唐都僧纲，这是政治投资。等到听闻《三藏真经》可以真正超度亡魂，他更与玄奘结为兄弟，派出使者团不远万里前往灵山。

也就是说，只要能帮忙搞定那些恶鬼，唐太宗不介意搬出金山银山。

那赵长者家要超度的亡魂，也必然是罪孽深重，将要或已经堕入无间地狱的大恶鬼。

以上这些恶鬼本该在无间地狱中承受业火焚烧，永世不得超生。可是，在花费三斗三升黄金，即1亿元之后，他们就可以洗清所有罪孽，轮回转世，甚至投胎到富贵人家。

1亿元购买一次重生的机会，这价格太便宜啦！

至于穷人，那就别多想了。当然，如果运气好，碰上了像唐僧这样心肠好的大德高僧，他们会免费诵念佛经。当然，管饭还是必须的——当初在两界山下，刘伯钦不就是管了一顿饭，唐僧就帮忙超度了他那罪孽深重的老爹吗？

不少读者觉得《西游记》中如来关于“经不可轻传，亦不可以空取”的观点过于世俗，是《西游记》中的败笔。

我认为不是。这正显露出《西游记》中描绘的如来在深谋远虑、理解人性方面的深刻。

为何经书不可以轻传？因为轻易得到的，就没有人会珍惜。

早在当初如来宣布取经计划时就说：“我待要送上东土，叵耐那方众生愚蠢，毁谤真言，不识我法门之旨要，怠慢了瑜迦之正宗。怎么得一个有法力的，去东土寻一个善信，教他苦历千山，询经万水，到我处求取真经，永传东土，劝化众生，却乃是个山大的福缘，海深的善庆。”

说出这番话，绝非如来拿腔作势，而是如来对人性有着深刻的了解。

试想，如果一天有人拿着一本《如来神掌》找到你，说这本书是绝世秘籍，只卖一元钱，你会怎么想？估计有百分之九十九的人会觉得那卖书的是疯子。绝世秘籍怎么可能送货上门，且只卖一元钱呢？

唯有在历经坎坷、费尽心思的努力下得到的东西，我们才会珍惜。

于是，为了让大唐民众正视《三藏真经》，明白《三藏真经》的可贵，唐僧师徒这个取经团队必须历经千山万水，才能得到真经。

为何经书不可以空取？

身为天尊级高手的如来，自然不需要金银财宝。可是，他手下除了那些神通广大的菩萨、罗汉，更有数以百万、千万乃至亿万计的凡人弟子。

佛祖、菩萨、罗汉不需要吃饭，可是不能让无数佛派的凡人弟子喝西北风。而且真正在人间传扬佛法，为仙佛积攒信仰之力、香火之力的，正是这些凡人弟子。

如来认为经书不能轻传、空传，正是考虑到了传经对整个佛派的影响，并且这影响不仅仅局限于当下，而是放眼于千万年之后。

可以想象，在未来的西游世界，诵念《三藏真经》超度亡魂的价格虽然很高，但必然是供不应求。

第四十八节　成佛变化

唐僧师徒辛辛苦苦把经书带回长安，之后佛祖大会诸仙，在全体佛派仙人的见证下，加封唐僧为旃檀功德佛，孙悟空为斗战胜佛，猪八戒为净坛使者，沙和尚为金身罗汉，白龙马为八部天龙广力菩萨。

和一般影视剧中表现的不同，原著中并没有佛祖一指，金光乍现，然后唐僧师徒就换上了全新装备的桥段。

在成佛后，唐僧师徒究竟有没有变化呢？如果有变化，都有什么变化呢？

在如来封佛之后，原著中特别提及白龙马与孙悟空。

先说白龙马。

白龙马本是西海龙王敖闰之子，名为玉龙三太子，因犯下忤逆大罪，被推上斩龙台待斩。是观音向玉帝求情，安排玉龙化身为马成为取经团队中一员。也就是说，玉龙是以白龙马之形态戴罪立功，以获取新生。

封佛之后，白龙马进入灵山后崖化龙池中，原文说："须臾间，那马打个展身，即退了毛皮，换了头角，浑身上长起金鳞，腮颔下生出银须，一身瑞气，四爪祥云，飞出化龙池，盘绕在山门里擎天华表柱上。"

乍一看，这灵山后崖的化龙池很神奇，竟然让白龙马化身金龙。其实，化龙池的功效相当有限，它起到的顶多是个促进作用。

我们翻看原著，结合鹰愁涧故事的描述就可以发现，玉龙三太子本身的形态就是头上龙角峥嵘，颔下银须飘飘，一身金鳞闪闪。并且即便没有化龙池相助，白龙马本身就可以化身为龙。

在宝象国故事中，因唐僧被黄袍怪（奎木狼）变成老虎，猪八戒与沙僧又不在身边，万般无奈之下，白龙马化身为宫女与黄袍怪大战。可惜，玉龙在变成白马之前，被观音摘下了修炼千年的龙珠，实力大降，仅仅斗了八九个回合就不敌而受伤。之后，玉龙化成真龙本体形态，躲在护城河下休息。等待许久，他方重新化身白马。

观音在招募玉龙时曾经如此承诺："你须用心了还业障。功成后，超越凡龙，还你个金身正果。"

这超越凡龙，成就金身正果是什么意思？是说白龙马将战力提升，神通大长吗？

很遗憾，不是。观音的意思只是说，白龙马完成取经任务后就不再是凡龙、野龙，而是有仙界编制的龙了。

人家白龙马做玉龙三太子的时候，本就是天庭正神，故观音的原话是“还你个金身正果”。可见成佛后，白龙马除彻底摘掉了罪犯的头衔，还恢复了仙箓——此前是水神，如今变成门神给灵山看大门。其实，其龙体本身没有啥特别改变。

再说孙悟空。

见到白马化龙，孙悟空不胜感慨，转头对唐僧说：“师父，此时我已成佛，与你一般，莫成还戴金箍儿，你还念甚么《紧箍咒》掯勒（强迫，逼迫）我？趁早儿念个《松箍儿咒》，脱下来，打得粉碎，切莫叫那甚么菩萨再去捉弄他人。”

孙悟空从出世以来，习惯了自由自在，无法无天。当猴王的时候自不用说，除了阎王，谁也管不了他。后来修成仙道，又大闹龙宫，搅乱幽冥，活得好不快意。本来，菩提祖师能够管他，偏偏出师时菩提祖师莫名其妙（其实是故意）大怒，赶走了他，并且宣布断绝师徒关系。

于是乎，本领强大的孙悟空逐渐走向一个极端，变得狂妄自大，无所顾忌。正因如此，孙悟空才会大闹天宫，才敢大闹天宫，不但叫嚣要玉帝让位，就连道祖老君也不入老孙的法眼。

曾经的孙悟空狂得没边了。其实，他当时不过是井底之蛙，三界之中强过他的高手太多太多了。

被如来压在五行山下五百年，孙悟空的傲气消散了些，但依然野性难驯。如来早有安排，让观音送给唐僧金箍，从此孙悟空被一介凡人唐僧使唤得服服帖帖。

不过孙悟空从来只服强者，对于手握金箍的唐僧并不甘愿臣服。于是取经路上才会一再发生师徒冲突，一直到真假美猴王事件之后，这个冲突才逐渐淡化。

但是，头戴金箍一直是孙悟空心中的奇耻大辱。如今成佛，他的第一件事自然是要将之摘去。

唐僧闻言，却说："当时只为你难管，故以此法制之。今已成佛，自然去矣，岂有还在你头上之理！你试摸摸看。"

翻遍全书，唐僧一直都是后知后觉，唯有此处颇有高人之姿。

如何理解唐僧这番话呢？金箍为何神秘消失呢？

想要弄清楚这个问题，先要明白金箍存在的意义。

前文说了，孙悟空一向狂妄自大、无法无天，凡人唐僧虽名义上是师父，但根本管束不了孙悟空。

有了金箍，一切就不同了。金箍其实代表了西游世界的规矩，代表了律法，代表了师道尊严，代表了如来、观音等仙佛高层的意志。孙悟空若不听话，想要自作主张，那唐僧就念动《紧箍咒》，金箍就会强迫孙悟空遵从。

事实上，经过取经十四年的打磨，孙悟空身上的野性早就消散，面对仙界高层再不复往日的骄狂。在许多次磨难中，孙悟空虽早就看破观音的安排，却始终不说破，反而积极配合演出。

金箍就像一个圈。此前，孙悟空是圈外人，于是金箍就会强制孙悟空屈从。如今，孙悟空变成了圈内人，自觉遵守西游世界的各项规矩，那金箍自然就没有存在的必要了。

换言之，金箍不是消失了，而是彻底融入了孙悟空的血肉神魂中。这正是孙悟空最大的变化。只是不知这变化是喜，还是悲。

那么，唐僧、猪八戒、沙僧他们有什么变化呢?

第四十九节　成佛隐秘

在原著中，如来加封五圣时没有写到唐僧、猪八戒、沙僧三人的变化。不过我们细看原文可以发现，三人在成佛前后还是有细微的不同。

这个细微处表现在吃饭上。

唐僧师徒在通天河落水，之后来到东岸的陈家庄。陈家二老热情相邀，宴请唐僧师徒。

原文说："三藏自受了佛祖的仙品、仙肴，又脱了凡胎成佛，全不思凡间之食。二老苦劝，没奈何，略见他意。孙大圣自来不吃烟火食，也道：'够了。'沙僧也不甚吃，八戒也不似前番，就放下碗。行者道：'呆子也不吃了?'八戒道：'不知怎么，脾胃一时就弱了。'"

成佛，可以有两种解释。

其一，成为佛派佛级仙人。按照这个标准，唐僧师徒仅有唐僧与孙悟空成佛。

其二，成为有仙箓的佛派仙人，统称成佛。按照这个标准，猪八戒、沙僧、白龙马也可以称为成佛了。

原文中的脱胎成佛，当是第二种含义。并且，在此刻，如来还没有给五人评定果位呢。

为何唐僧、猪八戒在成佛之后，面对饭菜完全没有了往日的好胃口呢？

我们看原文对唐僧不想吃饭的解释。原因有二：其一，佛祖的仙品仙肴太美味，蕴含充沛能量，唐僧师徒吃了之后嘴刁了，看不上凡间饭菜了；其二，修成仙体之后，肠胃也发生了变化，会自觉排斥蕴含能量稀薄的凡间饭菜，这就像猪八戒所说的“脾胃一时就弱了”。

那是不是成佛后就不需要吃饭了呢？

当然不是。我们看孙悟空对凡间饭菜的一贯态度，就可以明白了。

原文说：“孙大圣自来不吃烟火食。”好像孙悟空从来没有吃过人间饭菜似的。其实在《西游记》中，记载了十多次孙悟空吃人间饭菜。

也就是说，孙悟空其实是吃人间饭菜的。只是对于孙悟空来说，吃人间的饭菜吃了也等于没吃。作为天仙，孙悟空修炼所需要的能量极大，然而凡间饭菜中蕴含的能量对于他几乎等于零。因此，他吃凡间饭菜也行，不吃也行。

取经路上，孙悟空为何经常吃人间饭菜呢？因为陪同唐僧这个凡人在凡间取经，自然要入乡随俗。为人处世太另类了不好。越到后期，孙悟空越明白混同大众的重要性。

唐僧与孙悟空不同，他刚刚成佛，前后的变化太大，一时无法适应，所以才会拒绝吃饭。在陈家二老苦劝下，他也只是吃了一两口意思意思。

孙悟空说："够了。"其实就是说，他也吃了两口。虽然吃得少，但一定是吃了。

沙僧吃得多些，虽然是"不甚吃"，但估计也有一两碗。

猪八戒这边说肠胃弱了吃不下，可是转过身来，"饶他气满，略动手，又吃够八九盘素食；纵然胃伤，又吃了二三十个馒头"。

在原著中明确提到，沙僧有八九个人的饭量，猪八戒有二三十个人的饭量。此刻，猪八戒只是吃了八九盘菜，二三十个馒头，确实已经是食量大减了。

那么，唐僧、猪八戒等人为何食量大减呢？成佛的秘密究竟在哪里呢？

唐僧成佛（即成仙），并非在如来册封之后，而是在渡过凌云渡，脱去凡胎之后。因吃了人参果，又修习《多心经》，唐僧的神魂已经强健无比。在凌云渡脱去凡胎，他终于成就仙体。

但当时的唐僧毕竟才仙体初成，还很脆弱。于是，如来安排唐僧去吃顿好的。餐桌上都有些啥呢？原文说："尽皆是仙品、仙肴、仙茶、仙果，珍馐百味，与凡世不同。"

为了快速将唐僧的肉体与神魂都提升到佛级（天仙）仙人的水平，如来下了血本。何以见得呢？

原文又说："这番造化了八戒，便宜了沙僧：佛祖处正寿长生、脱胎换骨之馔，尽着他受用。"

书中明确提到，唐僧师徒这顿饭，本意是如来招待唐僧的，三个徒弟只是陪吃的——白龙马没份。

对于唐僧来说，这顿饭珍贵无比，就算是当初在五庄观服下的人参果，也远没有如来这顿饭珍贵。

人参果不过是让人延寿，拥有堪比地仙的寿元。可是如来的这顿饭，不但可以让人延寿长生，并且能使人脱胎换骨，达到天仙水平。猪八戒、沙僧本都是地仙中的顶尖高手，吃下这顿饭也受用无穷。可以想见，在不久的未来，猪八戒与沙僧都能够双双突破地仙，成就天仙。

如来哪里来的这等珍稀仙品、仙肴呢？

如来最得意的法宝，不是三个金箍，不是手中常拿的金钵，更不是什么锦襕袈裟、九环锡杖，而是盂兰盆。

如来本就是天尊级高手，见识何其广大，然而在召开五百年一次的佛派最重要宴会时，却用盂兰盆为名。由此可见，这盂兰盆对如来的重大意义。

盂兰盆到底有何妙用呢？

五百年前如来第一次举办盂兰盆会，曾经介绍说："我有一宝盆，盆中具设百样奇花，千般异果等物，与汝等享此盂兰盆会，如何？"

从表面看来，仿佛这盂兰盆只是一个用来存放花草的普通花盆，但真相绝非如此。

在《西游记》中哪些人参加了盂兰盆会呢？早在太古时代就已经得道的天尊级女仙黎山老母，东海三岛十洲领袖仙人福、禄、寿三星，天庭在人间的导引仙人紫阳真人，还有地仙之祖镇元大仙，等等。

还有许多仙人在书中没有明确提到，但从聚会的级别来说，比如五方五老中的其他几位应当也会受到如来的邀请。

可以说，盂兰盆会是佛派在人间最大规格的盛会。因此盂兰盆中的必定是人间罕见的奇花，分给众仙享用的也必定是人间罕有的奇果。赴宴仙人众多，并且多数都有资格参加天庭蟠桃盛会。若如来拿不出相应的好东西，根本就无法打动、拉拢那些实力强大的仙人。

地仙之祖镇元大仙为何心甘情愿拿出十多个人参果来配合取经行动呢？极有可能是如来在盂兰盆会上给了镇元大仙足够的益处。比如让镇元大仙品尝一顿仙品、仙肴，而那仙品、仙肴竟然让镇元大仙停滞了亿万年的修为瓶颈，产生了松动。

但仙人众多，区区一个盂兰盆如何能满足群仙需求呢？人家王母能开蟠桃会，可是有三千六百株蟠桃做后盾。

因此我认为，那盂兰盆的功效很有可能是快速提升各种奇花异果的年份，使之更加罕有，甚至可能聚集天地灵气，去复制（再造）那些奇珍异果。

传播《三藏真经》，可以让芸芸众生成为佛派信徒，无限扩大佛派基础仙人数量。但是靠个人苦修，要想成就地仙、成就天仙，无不需要千年、万年的修炼。但有了盂兰盆，一切就变得不一样了。

只要给如来一定的时间，付出一定的代价，他就有可能人工制造出一批实力强大、忠于自己的仙人。

当然，因如来并非大天尊，实力有限，所以让食用者从地仙进阶到天仙，已经是盂兰盆的极限。

唐僧师徒都吃了盂兰盆制造的美食，唐僧实力突飞猛进——估计他吃的是精华，三个徒弟吃的是边角料——猪八戒、沙僧实力稍有进益，孙悟空实力一点没变。

当然，孙悟空靠着修炼《多心经》，将道、佛功法交融，其实力早已经突飞猛进，无须盂兰盆帮助。

第五十节　唐僧证道

之前我们提到过，唐僧师徒在离开比丘国，来到黑松林时，孙悟空在化斋的半空中回望松林，见松林高处竟然祥云缥缈，瑞气氤氲。

唐僧头顶有祥云瑞霭罩定，足见其修行有成，大道可期。为何头顶出现祥云瑞霭，就证明唐僧修行有成呢？唐僧又是如何从一介凡人踏上仙途，最终证道成佛的呢？

第一阶段：苦修三十载，一点仙气无。

取经前后进行了整整十四年。唐僧在天竺国时曾经说自己四十五岁。换言之，唐僧是在三十岁时离开长安，踏上取经之路的。

唐僧虽然是佛子金蝉子转世，但是前世的记忆经过九次轮回转世已经消磨殆尽。重生之后，唐僧苦读佛典。经过三十年的苦修，唐僧已然通晓流传于东土的各种典籍，成为公认的大唐第一高僧，并且非常荣幸地被大唐皇帝李世民接见，赐予大唐都僧纲（管理大唐佛门事务的最高官职）职务，可谓登峰造极，举世无双。

可惜，唐僧虽苦修三十年，但身上一点仙气也无。他读烂了佛典，也没有窥得修真门径。

沙僧曾经说自己在流沙河吃人无数，其中有九个取经僧的骷髅很是奇特。在那个鹅毛飘不起的流沙河内，这九个取经僧的骷髅竟然一直漂浮，不会沉落。可见，这九个取经僧早已踏上仙途，不再是肉体凡胎。

唐僧呢？唐僧凡胎沉重，必须乘坐法船（由观音的葫芦加上九个取经僧的头颅），在双重护持下，才渡过了流沙河。

事实上，不仅苦读佛典的唐僧修真不成，从东土到西天，取经团队经历了无数国家，在凡间几乎就没有和尚踏上仙途——观音禅院的老院主算是个例外。

然凡间道士，则多有精通法术者。

第二阶段：得传《多心经》，从此进仙门。

苦读了千万本佛经，唐僧依然没有摸到成仙门径。然而在诵读几遍短短两百来字的《多心经》之后，唐僧就已经灵光自透，进入了仙门。

在此，请不要将《多心经》与现实宗教中的《心经》混同。

首先，《西游记》中唐僧与孙悟空等人修习的是《多心经》，而非《心经》。从原著中反复出现“多心经”一词可见并非笔误，而是作者有意为之。

其次，乌巢禅师在传授《多心经》时，特意强调此经的重要性。他评价说：“此乃修真之总经，作佛之会门也！”

原著中提到，这乌巢禅师在浮屠山隐居许多年，还曾经试图收猪八戒为徒。前文我已分析过，乌巢禅师乃是佛派第一任佛祖燃灯古佛所化。在如来主事的当下，他已退居二线。他有能力写出《多心经》，也有时间在浮屠山隐居，等待取经僧。

在佛派仙人中，最低级别的是三千揭谛。在诵读《多心经》不久，唐僧基本就达到了揭谛境界，约等于道派的人仙境界。

第三阶段：人参果延寿，明月下悟道。

作为金蝉子转世，唐僧具有万千修真者所不具备的超然背景。作为取经僧人，唐僧更具有万千修真者所不具备的机遇。比如品尝人参果，就是唐僧的一大奇遇。

人参果乃人间界第一奇珍，吃一颗即可延寿四万七千年。只是人参果成长缓慢，大约一万年才成熟一次，而且果实稀少，一个成熟期满打满算才长三十个人参果。在以往，就算是寿星乃至如来这个级别，要想吃到一个人参果都很难。可唐僧有幸成为取经僧，好运就接踵而至了。

镇元大仙虽然是地仙之祖，却一直生活在人间，没有被天庭接纳。像他这种下界豪杰，大多渴望加入天庭。可玉帝不同意。镇元大仙只能绕道，与太上老君、如来达成协议。

镇元大仙也算是花了血本，通过一场大闹五庄观的戏码，一口气就消费掉了十五个人参果。

唐僧恰逢其会，吃了一个人参果。人参果仙力无穷，直接将唐僧的身体、神魂进行改造。唐僧寿元一口气飙升到四万七千年。

不过，寿命的延长与对修真的领悟是两码事。唐僧本人真正从揭谛境界（人仙）突破到罗汉境界（神仙），是在乌鸡国宝林寺中。

那一晚，明月高照，大地如洗。唐僧率三位弟子赏月，见天地悠悠、星光灼灼，唐僧心有所悟，不禁吟诵了一篇古风。这篇古风表面上是思乡怀远之作，实质却是对禅理、对修真的领悟。相比唐僧未修习《多心经》之前，已经高妙许多。

当然，这篇古风还不足以让唐僧突破。真正让唐僧顿悟的，是孙悟空与沙僧的指点。

孙悟空说："师父啊，你只知月色光华，心怀故里，更不知月中之意，乃先天法象之规绳也。……诗曰：前弦之后后弦前，药味平平气象全。采得归来炉里炼，志心功果即西天。"

沙僧说："师兄此言虽当，只说的是弦前属阳，弦后属阴，阴中阳半，得水之金；更不道：水火相搀各有缘，全凭土母配如然。三家同会无争竞，水在长江月在天。"

孙悟空与沙僧毕竟成仙多年，对修真的领悟远在唐僧之上。他们二人的几句指点，句句都切中要害。唐僧听后"一时解悟，明彻真言，满心欢喜"。

原文中又说："正是理明一窍通千窍，说破无生即是仙。"

这一次月下论道，是唐僧师徒在修习《多心经》几年后开的一个讨论会。大家结合修习情况，畅谈心得，各有收获。

当然，唐僧的起点最低，收获也就最大。差不多从这一夜起，唐僧就突破了揭谛境界，进入了罗汉境界。

第四阶段：佛道大辩论，得悟菩萨境。

在乌鸡国师徒月下论道后，原著中再也没有花大段的文字写类似事情。当然，师徒论道一直都有，只是从专门论道换成了日常交流。

几乎每到一座山、一座城之前，唐僧都会说害怕啊、思乡啊。然后，孙悟空就会搬出《多心经》，教训唐僧应该如何、不应该如何。这既是唐僧师徒之间的主事权争斗，又是唐僧师徒对修真的辩争。在十多年的反复辩争中，大家对禅理、对修真的领悟都大大提高了。

在乌鸡国之后，有两件事情给唐僧的震动很大：一件事情是荆棘岭上唐僧与诸多树精（拂云叟、杏仙之流）论佛道优劣；另一件事情是比丘国中唐僧与国丈白鹿精再论佛道优劣。

这两次辩论都以唐僧失败告终。在与树精的辩论中，唐僧还能抵抗一二，只是略逊一筹。可是，在与比丘国丈白鹿精的辩论中，唐僧则是一败涂地，全无反抗之力。

白鹿精不愧是寿星坐骑，他经常能够聆听道派高层仙人说法，对修真一途的领悟极高。他痛斥唐僧所谓佛法："呵！呵！呵！你这和尚满口胡柴！寂灭门中，须云认性；你不知那性从何而灭！枯坐参禅，尽是些盲修瞎炼。俗语云：'坐，坐，坐！你的屁股破！

火熬煎，反成祸。’”

然后，白鹿精讲述了自己认为的修真大道。最终总结说：“三教之中无上品，古来惟道独称尊！”

当时，满殿的官员无人不赞叹国丈、嘲笑唐僧，唐僧“不胜羞愧”。

所谓知耻而后勇。唐僧从失败中吸取教训，弥补缺失，不但没有被失败打倒，反倒大大提升了自身的境界。

在佛与道的辩争中，唐僧勘破了表象，窥到了真谛——在西游世界中，道、佛其实同源，计较不同，比拼高下，反倒落入了下乘。与其追求外在的名声、利益，不如去追求内心的安宁。破除执念，才能远离魔障。

最终，唐僧成功由罗汉境界突破到了菩萨境界（地仙）。

进入菩萨境界后，一个显著的特征就是出行有祥云瑞霭随身。和一般的神话故事不同，在西游世界唯有菩萨以上级别的佛派仙人出行才有祥云瑞霭。

第五阶段：勘破万千幻，领悟本源道。

比丘国之后，唐僧窥破了佛与道的异同，于是《西游记》中再也没有专门的情节去讨论道与佛的高下。

在之后的种种磨难中，唐僧勘破万千幻象，最终领悟了本源大道。

在比丘国之后，唐僧一共经历了四次大事件。每次大事件都让唐僧由内到外得到洗涤，其境界大大提升。

一是镇海禅林寺唐僧卧床。

从三十岁参加取经、离开长安城以来，唐僧十余年风餐露宿，饱经磨难，但从未生病。一方面是因为他乃金蝉子转世，神魂强健；另一方面是他修习《多心经》有成，寻常风寒根本不能侵蚀。

可是，唐僧在镇海禅林寺破天荒地生病了，并且一病就是三天。这也让猪八戒、沙僧莫名其妙。

在我的解读中，唐僧染的其实不是风寒，而是因与老鼠精交欢，失了元阳，违背了佛派戒律，内心悔恨、痛苦，于是病了三天。这也是唐僧忽然叫来孙悟空，说自己要给李世民修书，说自己无力再去取经，请另选高明的主要原因。

不过，经过孙悟空的小心安抚，经过三天的苦苦思索，唐僧最终还是决定继续踏上取经路。慢慢地，他就明白，是否守住元阳其实不重要，重要的是心中有佛、有信念。

二是灭法国屠僧风波。

灭法国王乃西游人间界佛派头号大敌。只因为个人私仇，他在即位之后竟然挥舞屠刀大杀僧人，死在他手上的和尚多达九千九百九十六名。

对于这样的恶魔，佛派高层本当命令孙悟空将其灭杀，以震慑宵小。可让唐僧、孙悟空大跌眼镜的是，观音竟特意提醒孙悟空与唐僧，对灭法国王千万不能动粗，而应当以智慧、以德行去教化。

最终，在孙悟空大展神通剃去灭法国全国官员头发后，灭法国王幡然悔悟，皈依了佛派，唐僧师徒安全通过此难。

此事对唐僧触动颇大。佛派讲以身饲虎。在灭法国故事中，灭法国王就是那饿虎，唐僧师徒就是那肉。对待敌人最好的方式不是灭杀其肉体，而是感化其灵魂。

三是犀牛精扮佛风波。

在灵山脚下的金平府中，唐僧虔心拜佛，不料被三个假扮佛祖的犀牛精掳走。在孙悟空的努力下，三个犀牛精都被砍头，唐僧也获救。

此前，唐僧曾经被许多妖怪蒙骗。妖怪有变成道士的，有变成小孩的，也有变成美女的。但唐僧万万没有想到，竟然还有妖怪胆敢变成佛祖，并且是在灵山脚下变成佛祖。

以往，唐僧总是见佛就拜、见塔就扫。可是，在经历犀牛精风波后，他必然能够有所醒悟：佛也有真假之分，千万不要被外表所蒙骗；行善本是好事，可是善心也极有可能被恶人利用，办了坏事。

四是天竺国玉兔、寇员外风波。

在取经到了最后关头，观音还为唐僧设计了两次劫难。其一，美貌的玉兔精下界，化为天竺国公主，要招唐僧为驸马；其二，寇员外每天以珍馐佳肴款待唐僧师徒。

这两次劫难，一是考察唐僧有无色欲之心，二是考察唐僧是否贪恋富贵。久经考验的唐僧不负厚望，轻松通关。

在灵山，唐僧师徒乘坐无底船渡过凌云渡。中途，从上游飘来一具尸体，其形貌与唐僧一般无二。孙悟空三兄弟一见大笑，连船夫也恭贺唐僧。

原文说：“脱却胎胞骨肉身，相亲相爱是元神。今朝行满方成佛，洗净当年六六尘。”

唐僧从一介凡人开始踏上取经之路，十余年来饱经磨难。一方面，他得佛派圣典《多心经》，苦修十余年颇有成效；另一方面，他经历各种磨难，最终勘破万千幻象，斩却了自身的贪、嗔、痴种种杂念，在凌云渡终于证道成佛。

第五十一节　悟空九变

观音统计八十一难，都是从唐僧的角度计算的。因此，我们分析孙悟空的成长之路，必须另换角度。

在精彩的西游故事中，我们很容易被各路妖仙奇幻的神通、酷炫的法宝而迷惑双眼，忘了去注意真正的故事本质。

从美猴王到齐天大圣时代，是孙悟空从猴到人的过程；而从孙行者到斗战胜佛时代，是从人到佛的过程。

从五行山成为孙行者，再到灵山成为斗战胜佛，孙悟空一共经历了三个时期九次转折。

第一个时期，迷茫时期。

这个时期，齐天大圣的梦幻被戳破，孙悟空极度失落。加入取经队伍后连续受到挫折，更让孙悟空对未来充满迷茫。

敢问路在何方是这个时期孙悟空最真实的心灵写照。

孙悟空的第一个转折点，是被压五行山下。五百年的饥寒困苦，让孙悟空领会了世态炎凉，明白了人外有人、天外有天。从此之后，孙悟空少了一份轻狂放荡，多了一份冷静稳重。

孙悟空的第二个转折点，是在鹰愁涧边与观音争辩。因为被骗戴上金箍，孙悟空勃然大怒，甚至想打上南海，弄死观音。可是，等到观音到来，被观音冷着脸一顿大骂，孙悟空明白了自己原来是戴罪之身，已丧失了选择的权利，从此只能听命。

孙悟空的第三个转折点，是在白虎岭三打白骨精。孙悟空公然叫板唐僧，既是因唐僧不懂他，更是因他桀骜不驯，向往自由。被套上金箍，被逼参加取经，这一切都非孙悟空所愿。一旦有机会，昔日的齐天大圣定然要打破禁锢，狠狠折腾一番。但最终，孙悟空还是回到了取经队伍。这不是因为猪八戒能言善辩请他出山，而是他自己意识到了命运难违。

在孙悟空之上有唐僧，唐僧之上有观音，观音之上有如来，如来之上有玉帝。若没有了取经僧这层皮，孙悟空就是天庭一反贼。

第二个时期，觉醒时期。

孙悟空乃天生灵物，资质聪颖。在被撞得头破血流之后，他会开始反思。既然已经拿不下金箍，既然此后只能做取经僧，那么干一行就要爱一行。三百六十行，行行出状元。

此前孙悟空能以花果山妖猴之身成为天庭齐天大圣，此刻他为何不能以取经僧之身，在灵山佛门称佛称祖呢？

可是，孙悟空乃是半路出家，由道入佛。如此一来，如何给自己一个准确定位就非常有必要。

孙悟空的第四次转折，是在平顶山听闻太上老君一席话。得知金角、银角大王是太上老君童子后，孙悟空嘲讽太上老君有管教不严之罪。太上老君笑笑说："此乃海上菩萨问我借了三次，送他在此托化妖魔，看你师徒可有真心往西去也。"

太上老君的话言浅意深，颇含机锋，看似戏谑，其实道破了天机。

初闻此话，孙悟空深恨观音。可是随着取经一路走去，他的看法也渐渐改变。凡事预则立，不预则废。所谓取经事关重大，无谋不成仙与佛。取经行动上如此，孙悟空自己的人生何尝不是如此？

孙悟空的第五次转折，是在乌鸡国听文殊菩萨一席话。文殊菩萨告知，一切因缘皆前定，假国王青狮精乃是为真国王消灾而来。

孙悟空明白了降妖伏魔都是戏。取经路上那些称霸一方、为祸人间的妖魔，不是太上老君麾下，就是佛祖门人。而自己要做的，就是按照脚本配合剧情妥善演出。于是，孙悟空转告真国王时只谈真国王当初淹了文殊菩萨，犯下罪孽，绝口不提青狮精乃文殊菩萨坐骑。

孙悟空的第六次转折，是在车迟国与虎、羊、鹿三仙斗法。孙悟空、猪八戒、沙僧三人都是道派仙人，同样都是半路出家，同样为如来不信任。在太白金星的暗示下，孙悟空三人推倒三清像，甚至把三清像丢入茅厕，共同表演了一把与道派割袍断义的大戏。

不过，孙悟空从此真就与道派决裂了吗？当然没有。孙悟空明白，自己的根在道派。

孙悟空告诉车迟国王："望你把三教归一，也敬僧，也敬道，也养育人才。我保你江山永固。"

这番话既是孙悟空对国王的嘱托，更是孙悟空第一次说出自己的心声；这番话道出了孙悟空对于佛、道的真正态度，也意味着孙悟空从此觉醒，明白了自己的路在何方。

不过，以上的六次转折，孙悟空都是在半梦半醒之间完成的。真正重大的三次转折，都是在第三个时期，即自主时期完成的。

最后三次转折的完成，不但使孙悟空在真正意义上从人变成了佛，更使孙悟空在佛派乃至整个仙界奠定了扎实的根基。至此，任何人甚至如来都绝不敢轻视孙悟空。

第三个时期，自主时期。

第七次转折，导演真假美猴王，为争取个人权益不懈奋斗。

车迟国之后，孙悟空斗败了金鱼精，战平了青牛精，降伏了蝎子精。虽然说这三战中都有佛、道仙人出场相助，但阵前打冲锋的还是孙悟空。所以，最终的功劳也还是记在孙悟空头上。

可是，在得知通关文牒，即取经行动唯一官方凭证上连自己的名字都没有后，孙悟空怒不可遏。为了得到应有的报酬，孙悟空精心谋划了真假美猴王这场大戏。

取经团队五人组中人人都有背景。但有一点很重要，取经行动乃是佛派大行动。玉帝虽然是天庭之主，太上老君虽然是道派之祖，可是灵山封仙属于佛派内部事务，乃是如来的职权范围，玉帝、太上老君无权干涉。

在如来的既定安排中，取经五人组中唯有唐僧一人成佛。这种安排明摆着是不论功劳，只论亲疏。可谁让孙悟空等人与唐僧身份有别呢？像祭赛国王就称呼唐僧为老佛，称呼孙悟空三人为菩萨。而观音收编孙悟空三人时，就已经给三人定下了名分，只是唐僧徒弟，而非合伙人。

孙悟空从来都不是一个甘于被命运摆布的人，既然心中有不满，那就闹他个天翻地覆，三界震动。最终，孙悟空巧妙借势，成功逼如来不得不答应他“功成归极乐，汝亦坐莲台”。

第八次转折，安排龙婆守塔，努力打造个人招牌，将影响最大化。

祭赛国盗宝案在整个取经故事中不温不火，貌似平淡，很容易被忽略。其实，这个事件对于孙悟空的意义，绝不亚于真假美猴王事件。

猪八戒要打死龙婆，孙悟空阻止说：“且住！莫打死他，留个活的，好去国内见功。”回到祭赛国后，孙悟空将金光寺改名为伏龙寺，更让龙婆百年、千年永镇宝塔。

在此前所有的降妖行动中，孙悟空执行的都是但求心安、不问前程的方针。猪八戒若要抢功，孙悟空一般都会很大度。至于剿灭小妖，他更从来不留活口。

在剿灭万圣龙王行动中，孙悟空第一次提出要留个活口，目的是要让祭赛国君臣、百姓见证自己的功劳。

祭赛国王与百姓亲眼看到传说中的神龙被孙悟空锁在宝塔中，亲眼看到土地、山神等仙人听从孙悟空的命令，这份震撼绝对是道听途说不能相比的。

孙悟空为何这么做？

因为孙悟空意识到，要想成佛，成为万众仰望的那个人，功劳其实不重要。重要的是有一定的人脉，有相应的名望，更要有超强的实力。

如来口中是答应了让孙悟空成佛，但并非心甘情愿。孙悟空必须做出更大的成就，才能让如来、让所有曾经鄙视他的人信服。

真正的佛与高品仙人、与人间寻常仙妖最大的不同在何处？

在于有没有信徒，有没有香火，有没有信仰之力。在天界，最抢手的资源不是金银，而是信徒，是香火，是信仰之力。

但凡得到天庭认可的仙人，都可以在人间修建庙宇，获得百姓的香火供奉，从而拥有信仰之力。观音为何能以菩萨身份跻身五方五老？这与观音在人间，主要是在南赡部洲拥有至强的影响力有关。在东土大唐，信奉观音的信徒人数远远超过其他的佛与菩萨，就算是如来，也难与观音比肩。

对于仙人来说，香火供奉既是他们交换资源的本钱，更是他们修身立命的根本。

天尊以上仙人为何能施展强大的法术神通？我认为，一个重要的原因就是，他们运转的不再是自身修炼的法力，而是信徒带来的信仰之力。

信徒越多，信仰之力自然越强，在仙界的地位自然就越高。

就连玉帝也非常看重信徒香火。像凤仙郡侯惹恼玉帝，不正是因为祭祀玉帝时不够诚心，又恰巧被来收取香火的玉帝撞见吗？

孙悟空从祭赛国开始，非常注意降妖的宣传工作，尤其是着重突出他自己的个人功勋。像后来的朱紫国降妖，孙悟空抓到一个先锋小妖时首先想到的，不是乘胜追击，而是返回朱紫国报功。在比丘国抓到白鹿精后，孙悟空更邀请寿星与他同去赴宴。他就是要让国王亲眼看看，民间传得神乎其神的寿星老，也要听他孙悟空招呼的。

因此，取经行动完成后，孙悟空看似四十八位佛中排名最后的佛，但其实，若论信徒人数，论信仰之力，他已经成为仅次于如来、观音的佛派第三大强者。

第九次转折，金平府分配犀牛角，确定自己对天庭与灵山、对道与佛的定位。

取经路上孙悟空与许多妖魔比斗，其中被孙悟空打得很惨甚至杀死的，全部都是道派的妖魔。

乍一看，孙悟空仿佛已经下定决心皈依佛派。其实，那些行动或者是孙悟空的投名状，不得不为（比如丢三清像入厕所）；或者是烟幕弹，打杀几个无关紧要者（灭法国的南山大王）。而真正的道派嫡系妖魔全都没有死。

在祭赛国之后，孙悟空先后与弥勒佛麾下的黄眉老怪，观音麾下的赛太岁，文殊、普贤、如来麾下的狮驼岭三魔比斗。再后来，孙悟空又与如来的宠物老鼠精，太乙救苦天尊的坐骑九头狮子交手。可以说，佛派以及天庭的主要力量都在取经行动中精彩亮相。

经历这些磨难，孙悟空领悟到什么呢？

孙悟空最大的收获就是明白了自己应当如何在佛道之争中自保，如何在佛派内部的纷争中求存。

孙悟空本是齐天大圣，与玉帝地位相等。虽然齐天大圣有名无实，但曾经沧海难为水。区区一个佛派的佛，怎么可能满足孙悟空？

孙悟空的未来，必将跳出佛派，跳出水元界，笑傲整个三十三重天。

要想达成这个目标，就必须合理处理天庭与佛派的关系。

在金平府降伏青牛精后，孙悟空一共得到了六只犀牛角。犀牛角本就非常珍贵，而领悟了天文之象的千年犀牛精之牛角，更是三界罕见的珍宝。

孙悟空是如何分配这六只犀牛角的呢？

他说："四位星官，将此四只犀角拿上界去。进贡玉帝，回缴圣旨。"另外两只呢？"留一只在府堂镇库，以作向后免征灯油之证；我们带一只去，献灵山佛祖。"

孙悟空把四只，也就是三分之二，进贡给了玉帝。这说明孙悟空再不是当年那个狂妄小子了。在经历磨难之后，孙悟空彻底意识到——三界之主玉帝无论是地位还是能量，都是偏居人间界一洲的如来远远不能相比的。

孙悟空把一只留在金平府，其意图和不杀龙婆一样，同样是要让千万人见证自己降妖伏魔的功勋，让金平府万民永远成为取经团队尤其是成为他孙悟空的信徒。

至于最后一只，孙悟空口中说送给如来，但后来他先后三次到灵山（取无字经一次，取有字经一次，返回灵山听封一次），三次拜见如来，都只字不提进献犀牛角一事。

只因在当时的孙悟空看来，如来已经不再像天庭斗法时那般强大。以孙悟空如今的实力与地位，根本不需要再讨好如来。

取经行动结束之后，孙悟空不但拥有了斗战胜佛的身份，更拥有了三界罕见的人脉资源。最宝贵的是，西牛贺洲大半的民众是取经团队——主要是孙悟空的信徒。

未来，孙悟空的法术神通与他在仙界的地位，必将发生翻天覆地的变化。终有一天，有勇有谋、敢恨敢爱的孙悟空，将会成为名副其实的齐天大圣。

第五十二节　八十一难

唐僧师徒取得有字真经再度离开灵山后，唐僧那些护法神全部求见观音，上缴法旨。诸神呈上报告，上面详细写着唐僧经历的种种磨难。仔细品味这份报告，不仅可以发现唐僧本人的一些独特经历，还可以发现佛派传经的一些秘密。下面略做分析。

其一，金蝉子遭贬就是局。

在《西游记》中，金蝉子乃如来二弟子，据说因为他在听如来说法时不专心，被如来一怒之下贬斥下凡。金蝉子在历经十世轮回后，依然能够佛心不泯，帮助如来实现了传经东土的伟大计划。故此，如来再度将金蝉子（唐僧）收归门下，并赐其佛级果位。

表面看来，金蝉子五百年来的遭遇是一个感恩图报、重情重义的故事，但仔细一琢磨，就可以发现根本不是那回事。

以如来二弟子的身份，金蝉子少说也是菩萨级别的修为，怎么可能在听讲时不认真？而如来对听课不认真的弟子的处罚也实在太重，不但将其仙身夺去，而且让其历尽十世轮回之苦，甚至唐僧到达西天后都没有恢复金蝉子的记忆。

如来之所以如此，就是要和弟子金蝉子共同演出一番苦肉大戏。世人都以为金蝉子犯错下凡，其实人家是带着特殊任务离开灵山的。十世轮回绝不是无所作为，而应当是苦心布局，尤其是打通人间和幽冥的道路，暗中为传经行动的顺利开展做了铺垫。

明白了一切都是为了传经大业，就可以明白为何唐僧刚出生，水贼刘洪就要杀唐僧，可以明白为何唐僧的母亲与杀人凶手一起生活了十八年。正因刘洪要杀唐僧，母亲才不得不把唐僧抛在江中。正因抛在江中，唐僧被僧人收养，从小当和尚，才可以维持第十世元阳不泄。正因需要唐僧亲手复仇，了结因果，因此母亲才苟活了十八年。

其二，多数劫难还是局。

所谓八十一难，多数是如来、观音安排好的。

比如：金蝉子遭贬第一难，出胎几杀第二难，满月抛江第三难，寻亲报冤第四难，两界山头第八难，陡涧换马第九难，收降八戒十二难，黄风怪阻十三难，请求灵吉十四难，流沙难渡十五难，收得沙僧十六难，四圣显化十七难，乌鸡国救主二十六难，被魔化身二十七难，路逢大水三十六难，身落天河三十七难，鱼篮现身三十八难，朱紫国行医五十六难，拯救疲癃五十七难，降妖取后五十八难，松林救怪六十七难，僧房卧病六十八难，无底洞遭困六十九难，铜台府监禁七十九难，凌云渡脱胎八十难。

也有一些是如来、观音走遍三界，请出与自己交好的仙人，派出弟子、坐骑下凡，充作一难。

比如：贬退心猿二十难，黑松林失散二十一难，宝象国捎书二十二难，金銮殿变虎二十三难，平顶山逢魔二十四难，莲花洞高悬二十五难，金岘山遇怪三十九难，普天神难伏四十难，问佛根源四十一难，七情迷没五十九难，多目遭伤六十难，比丘救子六十五难，辨认真邪六十六难，凤仙郡求雨七十二难，失落兵器七十三难，会庆钉钯七十四难，竹节山遭难七十五难，天竺招婚七十八难。

还有一些是唐僧取经路上必然会遭遇的一些劫难，这些劫难或者因人间帝王，或者因其他势力盘踞。

比如：搬运车迟三十三难，大赌输赢三十四难，祛道兴僧三十五难，吃水遭毒四十二难，西梁国留婚四十三难，琵琶洞受苦四十四难，路阻火焰山四十七难，求取芭蕉扇四十八难，收缚魔王四十九难，赛城扫塔五十难，取宝救僧五十一难，棘林吟咏五十二难，稀柿拜秽五十五难，路阻狮驼六十一难，怪分三色六十二难，城里遇灾六十三难，请佛收魔六十四难，灭法国难行七十难，隐雾山遇魔七十一难，玄英洞受苦七十六难，赶捉犀牛七十七难。

最后一种是取经路上的突发事件，或者是其他势力在未通知如来、观音的情况下突然出手。这些虽令如来、观音措手不及，不过在及时补救的情况下，也最终渡过。

比如：出城逢虎第五难，落坑折从第六难，双叉岭上第七难。正因为遭遇这些磨难，观音才请求玉帝、如来，在唐僧身边派出保护神。

又比如：再贬心猿四十五难，难辨猕猴四十六难，小雷音遇难五十三难，诸天神遭困五十四难。孙悟空制造的真假美猴王事件以及弥勒佛派出黄眉老怪下界，都不在如来、观音的计划中。不过，这两件事情一件因为如来的让步，一件因为弥勒的克制，最终都得到妥善解决。

其三，千算万算，少算一难。

护法神向观音汇报唐僧经历的劫难，最后算来算去，竟然只有八十难。观音听闻很着急，她说："佛门中'九九'归真。圣僧受过八十难，还少一难，不得完成此数。"她吩咐揭谛，立刻赶上八大金刚，制造出第八十一难来。

那八大金刚正驾起香风，送唐僧师徒前往东土。听完揭谛传音后，也不和唐僧招呼，直接把人扔下凡尘。幸亏唐僧已经是仙身，不然会当场摔死。

唐僧落地，师徒们发现是在通天河的西岸。

当年驮师徒过河的那只大老鼋浮出水面，答应驮唐僧师徒过河。中途，老鼋询问唐僧有没有向如来询问它何年可以成仙。唐僧表示，见到如来时自己太激动，一激动就忘记说老鼋的事情了。老鼋大怒，当场把唐僧和经卷扔到河里。

孙悟空三兄弟把唐僧和经书捞起来后，因为经书湿了，于是在石头上晒经书。晚上，阴魂夜鬼前来夺取经书，孙悟空等人努力保护。

那么，第八十一难是什么呢?

唐僧到了通天河东岸后，向陈家庄百姓讲述经历时，原文说：

“后复拜告如来，始得授一藏之数，并白鼋淬水，阴魔暗夺之事，细细陈了一遍，就欲拜别。”

在唐僧看来，自己被八大金刚扔下后又经历了两次劫难：其一，白鼋淬水；其二，阴魔暗夺。

如此看来，唐僧不是经历了八十二难了吗？

其实，唐僧的经历正说明天命难测。如来与观音虽然是三界之中罕见的天尊级别高手，可以洞悉大多数天地规律，完全能够做出一些精巧布局，达到人不能察的地步，但也无法操纵一切，只能顺应天命。

观音明明想着补充一难，凑满八十一这个数字，怎想到却多出一难，变成了八十二难。

怎么办？

也好办。该写的写，不该写的忘记。总之，唐僧九九难满，可以功成归极乐了。

第五十三节　取经影响

取经大业完成，对各方势力有何影响？

首先，取经大业完成后，发生了两大巨变。

一是佛派力量大增。

在燃灯佛祖的时代，佛派就已经将佛法传布到四大部洲。唐僧修行的就是佛法。不过，当时传布的佛法是小乘佛法，功效不高，只能度人，不能度鬼，因此信徒不多。随着唐僧将大乘佛法带到大唐，用不了多久，功效神奇的大乘佛法必定可以吸引一大批信徒。未来的南赡部洲，必然变成佛派的天下。

孙悟空带领的取经团队在西牛贺洲斩妖除魔，几乎将所有佛派的敌对势力扫清。西方百姓不信佛的窘境将一去不返。

可以想见，不久之后，南赡部洲带头，西牛贺洲其次，这两大部洲都会成为佛派的天下。四大部洲中，佛派将主导两个部洲。

加上如来与观音在天界五方五老的尊位，佛派毫无疑问可成为足以与道派抗衡的力量。

二是五圣成真，实力强劲。

佛派力量能够大涨，与取经团队五圣关系密切。随着五圣成真，唐僧取经团队遂成为三界之中不可忽视的一股新兴力量。

五人当中，唐僧与孙悟空享受佛级果位，在佛派级别中居于观音、文殊、普贤之上。猪八戒受封净坛使者，乃汝职正果，即副菩萨待遇。沙僧乃金身罗汉，大职正果，即正罗汉待遇。白龙马是八部天龙，汝职正果，即副罗汉待遇。

千万别小瞧了这五人，尤其是孙悟空的实力。

在三界诸仙当中，能够修行到天仙的已经极少。唐僧成佛，就意味着他已经是天仙中的太乙金仙。孙悟空更是天仙中的混元一气太乙金仙。此前，孙悟空没有成佛，无法调动法力——孙悟空以前虽官拜齐天大圣，但不过是空有其名，和真正成圣是完全不同的。

成佛之后，以孙悟空强悍的神通，他至少将成为佛派第五位高手（前四位为如来、观音、燃灯、弥勒）。如果让孙悟空拥有一件较强法宝，完全可以叫板如来。

其次，佛派力量大增，但如来的力量并没有增强。

佛派力量大大增强，在表面上看对如来有莫大好处。其实，如来的力量并没有大的增长。

为何这么说？

孙悟空一路降妖除魔，为老百姓做了许多好事。老百姓回馈孙悟空的方式常常是修建寺庙，供奉唐僧师徒——大家注意了，唐僧师徒走后，当地百姓供奉的并不是如来、观音，而是唐僧师徒。这“四圣庙”到处开花，几乎沿途各国都有。

可以想象，在未来的数百数千年，唐僧师徒尤其孙悟空的信徒将无限飙升。孙悟空最终将取代观音、如来，成为西牛贺洲信徒最多的佛。

信徒越多，就意味着信仰之力越多，就等于佛的法力越强。

孙悟空很聪明，尤其是在取经后半段，他总是刻意平衡各方势力，从不单方面突出佛派。尤其是面对一些灭佛的国王，孙悟空总是教导他们要佛、道并重。结果，孙悟空不但在佛派吃得开，在天庭的口碑也极好。

因此，在取得佛派正果后，斗战胜佛在三界的威名只会更大，会有更多的仙人买孙悟空的账。

按照如来最初的计划，只是给自己的前世弟子金蝉子一个人佛级果位。大家可以看到，猪八戒、沙僧的果位评定并不高。按照正常情况，孙悟空顶多也就得一正菩萨果位，排名还得是在四大菩萨之后。

可是，孙悟空巧妙设局，让如来不得不让步。而最让如来没想到的，就是他连唐僧也没把握住。

也不知道是哪里出了问题，唐僧在到达西天成就佛身后，依然没有恢复金蝉子的记忆。也就是说，唐僧还是唐僧，并不是如来的二弟子。唐僧在今世可是乌巢禅师即燃灯佛祖的弟子。一旦佛派高层有纷争，唐僧会站在燃灯一边，还是会站在如来一边呢？很难说！

最后，太上老君的隐形势力大大增强。

不少读者有疑问：若是太上老君推行反天计划，为何他的门徒或者被打败，或者被收编呢？

我只能说，看问题千万别只看表面。

因为与元始天尊、灵宝天尊有约定，太上老君不能直接出手，他要达成目的，就必须培植势力，假手他人。

因为孙悟空大闹天宫，太上老君暴露了一部分实力，引起了玉帝的警觉，但同时也促成了玉帝邀请如来，最终如愿引发取经行动。

太上老君通过与观音联合，使孙悟空、猪八戒被成功安插进取经队伍。这两个人整天吵架，也蒙蔽了绝大多数人。孙悟空为何对道派出身的仙人极狠？甚至吩咐猪八戒把三清像扔到茅厕？那是要交投名状，要证明自己与道派划清界限。不如此，如来能放心？

最终，孙悟空、猪八戒成功赢得了如来的信任，并且得到了比较适合的位置。

牛魔王也通过招安，打入佛派。

因此，太上老君在佛派的佛、菩萨、罗汉等各层次中都有了自己的亲信。

关键一点，就如同太乙救苦天尊可以随意操控九灵元圣，就如如来、观音一直通过《紧箍咒》操控孙悟空，太上老君对孙悟空、猪八戒、牛魔王必然还留有后手。

我们回想一下菩提祖师最后对孙悟空说的话："凭你怎么惹祸行凶，却不许说是我的徒弟。你说出半个字来，我就知之。把你这猢狲剥皮锉骨，将神魂贬在九幽之处，教你万劫不得翻身！"

对于已经修成天仙境界的孙悟空，菩提祖师说话为何如此霸气？孙悟空在千万里外说出半个字，菩提祖师怎么会知道？孙悟空已经是不生不灭体，菩提祖师为何能轻易将猴哥的神魂抽出，贬斥九幽？

唯一的可能就是，太上老君在化身菩提祖师教导孙悟空修仙时，已经在孙悟空体内种下禁制。这种禁制平时无法被察觉，可只要太上老君心念一动，孙悟空就会肉身崩溃，神魂重创。若非如此，太上老君怎么会放手让孙悟空去胡闹？

在以往，如来+观音>燃灯>弥勒。三者之间合纵连横，维持了一个微妙的平衡。

如今，取经团队五圣加入，尤其是唐僧和孙悟空的加入，打破了这个平衡。只要太上老君合理利用五圣力量，联合燃灯、观音，完全可以力压如来，夺回佛派主事权。

第五十四节　佛祖人选

随着取经的结束，有个问题很耐人寻味。若在太上老君纵横捭阖之下，如来失去佛派主事权，那下一任佛祖会是谁呢？这里有无限的可能，却又仿佛只有一种可能。

第一，燃灯复位。

假如太上老君的计划成功，最兴奋的估计是过去派燃灯。作为曾经的主事人，他享受过无尽的风光。在位的时候，他或许还难以发觉其可贵，可等到失去之后，就会觉得往昔实在太美。因此，若如来失去主事权，燃灯必定四处活动——最主要的，自然是讨好师父太上老君。

若是太上老君点头，燃灯自然大有可能复位。

只是，太上老君会选择让燃灯复位吗？

不会。燃灯之前的失败并非偶然，而是其心性、权谋、力量的综合落败。太上老君不会再犯一次错误。

第二，弥勒佛。

相对于如来的内敛，未来派弥勒的霸气过于外露。

小雷音寺一段中，弥勒主动来找孙悟空，劈面就问：“悟空，认得我么？”这句话很简单，若细细品味，却是霸气十足。此前，孙悟空从未见过弥勒。可弥勒却有百分百的信心，相信孙悟空必定认得自己。原因只有一个——我，是弥勒！

果然，号称三界之间天不怕地不怕的孙悟空，号称向来只拜菩提祖师、拜观音、拜唐僧、拜如来的孙悟空，连忙起身下拜道："东来佛祖那里去？弟子失回避了！万罪，万罪！"

看孙悟空的语气，哪里有一丝一毫的傲气。这是因为如来不会拘泥小节，可弥勒不是。孙悟空是万万不敢得罪弥勒的。

弥勒的弟子黄眉老怪，也是取经路上孙悟空遭遇的诸多妖魔中口气最大的一个——比镇元大仙还牛，比大鹏雕还狂。

黄眉老怪待的地方叫小西天，住的寺叫小雷音寺，自称为黄眉老怪老佛，其宫殿乃是上天（玉帝）所赐。他和孙悟空打赌：若是自己输了，就饶了孙悟空；若是自己赢了，就把孙悟空等人打杀，自己去取经。

黄眉老怪处处把自己和如来相比，其口气之大，三界无二。看黄眉老怪而知弥勒。黄眉老怪的心思，正是弥勒的写照。

应该说，如来失去主事权后，弥勒必然会力争佛祖之位。但他必然落败。以弥勒之张扬外露，再加上在取经行动中其势力没有得到一丝一毫的增长，他在与其他势力的竞争中没有任何优势。

第三，观音。

取经时，观音和三界各派大势力往来密切。在很多人看来，观音已经成为佛派的代表。何况，她本就是五方五老之一，和如来在仙界的地位相等。由她接替如来，估计是玉帝最愿意见到的选择。

观音和玉帝的关系很不错。孙悟空大闹天宫时，她到来后立刻推荐二郎神擒拿妖猴。虽然降妖出力的是二郎神，可在玉帝心中，估计更感谢观音。因为二郎神和玉帝颇有嫌隙，若不是第三者开口，玉帝是不好拉下脸来请外甥帮忙的。

观音的推荐使得玉帝和外甥冰冷的关系得到了缓和，玉帝也可以名正言顺地提拔二郎神，以补偿对外甥的歉疚心理。

此后，观音隔三岔五地向玉帝汇报取经行动的经过。五方揭谛、六丁六甲，就是玉帝应观音邀请派出保护取经团队的。并且玉帝也答应观音“叫天天应，叫地地灵”。

玉帝为何要卖给观音这么一个天大的人情？他可不是为了报答观音举荐之功，而是为了抬高观音，以挟制如来。若如来失去主事权后，玉帝最担心的，就是看到佛派完全倒向太上老君。

观音和太上老君的关系也不错。前文说了，太上老君给了观音许多好处，并在取经行动中多次合作。

可是，太上老君会支持观音成为佛祖吗？

不会。因为在太上老君看来，观音就是第二个如来。

《西游记》中的观音，无论是权谋还是神通都不在如来之下。观音若成为佛祖，必然脱离太上老君的掌控。为了实现这个目标，观音很可能和玉帝联手，甚至和弥勒联手，共同对抗太上老君、燃灯。

第四，最可能成为下一任佛祖的人究竟是谁呢？

唐僧。

大家没有看错，确实是唐僧。

首先，唐僧是个难堪大用的人。他除了天天喊“悟空救我！”“悟空，我饿”，几乎没什么本事。唐僧对佛法的领悟，比孙悟空还要差。若非孙悟空经常指点唐僧《多心经》，唐僧不可能脱离凡胎，成就佛身。

可是，正因为唐僧能耐有限，才最有可能成为下一任佛祖。

只有这样，各方势力才可以随意于幕后操控。观音可以恩人的身份辅佐唐僧；燃灯（我认为就是乌巢禅师，唐僧真正的师父）也可以用师父的身份指手画脚；就连弥勒，也可以凭借强力，在唐僧主事下分得一杯羹。

而孙悟空在成佛后实力大进，已经成为堪比甚至超越如来的存在。出于对师父的尊敬与恩义，他会继续出面与各方势力叫板，以保证唐僧能够在波诡云谲的仙界存活下去。

猪八戒自然是顺风时抢功劳，艰难时发牢骚。沙僧必然和以前一样，明哲保身。但在生死关头，这俩师兄弟都还是会为唐僧拼命的。

在三位弟子——还有白龙马的帮助下，唐僧这个新任佛祖估计能够当个几千年。